LE MIRACLE DE THÉOPHILE

Le Moyen Âge
dans la même collection

ANSELME DE CANTORBERY, *Proslogion*.

Aucassin et Nicolette (édition bilingue).

AVERROÈS, *Discours décisif* (édition bilingue).

La Chanson de Roland (édition bilingue).

CHRÉTIEN DE TROYES, *Érec et Énide* (édition bilingue). – *Lancelot ou le Chevalier de la charrette* (édition bilingue). – *Perceval ou le Conte du graal* (édition bilingue). – *Yvain ou le Chevalier au lion* (édition bilingue).

COUDRETTE, *Le Roman de Mélusine*.

COURTOIS D'ARRAS, *L'Enfant prodigue* (édition bilingue).

DANTE, *La Divine Comédie* (édition bilingue) : *L'Enfer. – Le Purgatoire. – Le Paradis*.

La Farce de Maître Pierre Pathelin (édition bilingue).

Fables françaises du Moyen Âge (édition bilingue).

Farces du Moyen Âge (édition bilingue).

HÉLOÏSE ET ABÉLARD, *Lettres et Vies*.

LA HALLE, *Le Jeu de la Feuillée* (édition bilingue). – *Le Jeu de Robin et de Marion* (édition bilingue).

Lais féeriques des XIIe et XIIIe siècles (édition bilingue).

GUILLAUME DE LORRIS, JEAN DE MEUN, *Le Roman de la rose*.

MARIE DE FRANCE, *Lais* (édition bilingue).

Nouvelles occitanes du Moyen Âge.

ROBERT DE BORON, *Merlin*.

Robert le Diable.

Le Roman de Renart (édition bilingue, deux volumes).

RUTEBEUF, *Le Miracle de Théophile* (édition bilingue).

THOMAS D'AQUIN, *Contre Averroès* (édition bilingue).

VILLEHARDOUIN, *La Conquête de Constantinople*.

VILLON, *Poésies* (édition bilingue).

VORAGINE, *La légende dorée* (deux volumes).

RUTEBEUF

LE MIRACLE
DE THÉOPHILE

Texte original établi et traduit,
introduction, notes
bibliographie et chronologie
par
JEAN DUFOURNET

GF Flammarion

On trouvera en fin de volume
un dossier, une bibliographie et une chronologie

ISBN 978-2-0807-0467-2

INTRODUCTION

Quand Rutebeuf[1] entreprend d'écrire son *Miracle*[2] dans les années 1260, c'est déjà une vieille histoire que celle du clerc Théophile qui, pour recouvrer fonctions et dignités, rendit hommage au diable et que la Vierge sauva de la damnation, une histoire vieille de plusieurs siècles, écrite d'abord en grec, au Ve ou au VIe siècle, par un clerc d'Adana nommé Eutychianos et traduite en latin au IXe siècle par Paul Diacre de Naples, qui la lie à la légende de Marie l'Égyptienne.

Histoire populaire de surcroît, puisque, résumée par Fulbert de Chartres au XIe siècle dans un Sermon sur la nativité de la Vierge[3], elle sera intégrée au culte marial, en particulier par saint Bernard, évoquée par les poètes comme Richard de Fournival et par Rutebeuf dans son *Ave Maria*, reprise dans *La Légende dorée*[4], rappelée par un sermonnaire d'Amiens vers 1260[5], reproduite dans toutes les langues à de nombreux exemplaires[6] et mentionnée encore par Villon dans sa *Ballade pour prier Notre-Dame* :

> De lui soient mes péchés abolus ;
> Pardonne-moi comme à l'Égyptienne
> Ou comme il fit au clerc Theophilus,
> Lequel par vous fut quitte et absolus,
> Combien qu'il eût au diable fait promesse...

— non sans que les auteurs aient brodé sur la légende : ainsi un drame italien, composé et représenté à Flo-

rence au xve siècle, met-il en scène la première partie
de la vie de Théophile, présentant l'évêque pratiquant
l'aumône et la ruse dont usa le diable pour changer son
état d'esprit et amener la destitution de Théophile ;
dans un drame allemand dont il ne reste qu'un
fragment et qui est conservé dans un manuscrit de la
fin du xive siècle, notre héros est un chanoine mondain
qui néglige le service divin et ses devoirs profession-
nels, et qui implore le secours de Satan non pas pour
être rétabli dans ses fonctions, mais pour avoir en
abondance argent et plaisirs.

A la même époque, et pour trois siècles environ, la
légende de Théophile est partout présente dans les
arts, enchâssée dans les vitraux, sculptée aux tympans
des cathédrales, peinte ou, fine miniature, illustrant les
textes qui lui sont consacrés. Au xiiie siècle, les maîtres
verriers l'ont représentée, diversement selon l'étendue
du cadre, dans l'église de Saint-Julien-du-Sault et dans
les cathédrales d'Auxerre, de Laon, de Beauvais, du
Mans, de Chartres et de Clermont-Ferrand ; elle est
aussi conservée sur un vitrail provenant de l'abbaye de
Gercy et actuellement déposée au musée de Cluny ; au
xvie siècle, on la retrouve sur un vitrail renaissance de
1540 dans l'église du Grand-Andély et dans les églises
de Beaumont-le-Roger, Louviers, Montangon (1540)
et de Saint-Nizier à Troyes. Alors que la légende est
souvent figurée dans sa totalité par les verriers, les
sculpteurs n'en représentent que les scènes cruciales
(reniement de Théophile et intercession de la Vierge),
qui correspondent à celles de Rutebeuf, et les éléments
les plus dramatiques : à l'abbaye bénédictine Sainte-
Marie de Souillac, sur le bas-relief du tympan de
l'ancien portail (vers 1130) ; dans le tympan dédié à la
Vierge, au portail de la façade septentrionale de Notre-
Dame de Paris, et exécuté, en cinq scènes sur deux
étages, entre 1265 et 1270, d'après des dessins de
Pierre de Montreuil ; dans deux médaillons du portail
latéral de droite, à la cathédrale de Lyon, au xive siècle.

I. DE GAUTIER DE COINCI A RUTEBEUF

Si la tradition relative à l'histoire du clerc Théophile est riche, Rutebeuf semble s'être inspiré, pour l'essentiel, du beau récit de Gautier de Coinci[7], long de 2 092 octosyllabes dont il a fait une pièce de 663 vers de facture différente. Aussi est-il intéressant de voir comment il a procédé.

Il a élagué le récit de son devancier, puisqu'il a supprimé les préliminaires du drame (mort de l'évêque, refus de Théophile de lui succéder, renvoi scandaleux, soit les vers 51-122 de Gautier) que nous retrouvons éparpillés dans la pièce, et le dénouement de son prédécesseur qui nous présentait successivement la communion, l'adieu, la mort et la transfiguration de Théophile, auréolé de la gloire des élus (vers 1689-1784). Taillant dans la masse des éléments conservés, Rutebeuf élimine aussi les recommandations de Salatin à Théophile, « un sermon à l'envers[8] », qu'il remplace par les préceptes du diable lui-même, une fois prêté le serment d'allégeance (vers 256-284).

Tendant à la généralisation et à l'abstraction, resserrant la trame des événements, Rutebeuf s'abstient de toute notation spatiale et temporelle, voire de tout pittoresque : au sabbat de Gautier[9] se substitue l'évocation magique de Salatin (vers 160-168). Comme il condense le temps de l'action en avançant la seconde visite de Théophile du soir au matin (*Or sui je venus trop matin ?* vers 204), le drame subit une accélération qui instaure une sorte de simultanéité temporelle comparable à celle du décor. De même, la décision prise par l'évêque de rappeler Théophile succède directement au pacte satanique : le spectateur est incité à établir une relation de cause à effet, sans que ce point de vue soit imposé. Il ne reste des notations de durée abondantes dans le texte de Gautier[10], qu'une seule, qui marque, au vers 404, une importante brisure temporelle : *Sathan, plus de set anz ai tenu ton sentier.*

Rutebeuf a choisi de faire alterner les moments dynamiques, qui font progresser l'action, et les moments statiques, qui permettent à Théophile de délibérer.

Il ne mentionne pas non plus les ressorts extérieurs qui font des personnages des êtres passifs que manœuvre autrui, tels que l'emprise de Satan sur Théophile amené à renier Dieu[11], l'action de la Providence qui suscite le revirement de l'évêque[12], le zèle de Théophile poussé au repentir par l'Esprit-Saint[13]. Tout se passe pour Rutebeuf dans la conscience des personnages qui deviennent autonomes, même s'ils ressentent le péché comme un investissement par Satan qui dégage, du coup, leur responsabilité. Traitement contradictoire qu'a noté Stéphane Gompertz[14] :

> « contrairement à ses devanciers, Rutebeuf insiste sur la libre détermination de son personnage, mais en même temps le clerc semble bien minuscule face aux deux mondes entre lesquels il oscille. Entre les forces du mal et du bien, l'homme dépouillé de tous ses vains prestiges ne pèse pas lourd ».

Disparaissent aussi les réactions émotionnelles à l'événement, la joie de Satan emportant la charte de Théophile[15], celle du clerc quand il retrouve sa charge ou que Marie lui pardonne[16], les larmes abondantes[17], de même que les allusions aux gestes et attitudes du héros qui s'agenouille devant Satan, Notre-Dame et l'évêque, joint les mains devant la Vierge en signe de gratitude, donne un baiser à Satan pour marquer sa soumission, se prosterne devant l'évêque pour mieux s'humilier[18].

Rutebeuf demeure invisible, tandis que Gautier, omniscient, affiche sa présence en des apartés qui prophétisent le sort réservé au héros, anticipent sur l'événement[19], élucident le comportement de Théophile[20], et qu'il se laisse aller à des digressions[21], compose une vraie dissertation pour fustiger les vices de son temps (vers 1786-2092). Dans *Le Miracle de Théophile* de Rutebeuf, c'est au lecteur de découvrir le sens inhérent au texte : ni glose, ni prologue, ni épilogue ; l'histoire elle-même se fait exemplaire dans sa contraction et son abstraction.

Mais Rutebeuf cherche aussi des équivalents dramatiques aux passages narratifs qu'il gomme. Certains passent dans les indications scéniques, les didascalies qui présentent sommairement un personnage comme Salatin « qui parloit au deable quant il voloit » — à la place du long portrait de Gautier de Coinci [22] — ou annoncent un discours ou rendent compte des déplacements [23] ; une de ces indications nous révèle un sentiment, *Ici va Theophiles au deable, si a trop grant paor,* et remplace les vers 321-322 de Gautier [24].

Des éléments sacrifiés réapparaissent sous forme de rappels : Pierre rapporte, aux vers 361-364, la mort de l'évêque et le refus de Théophile de lui succéder. Le *miracle* de Rutebeuf écarte toute représentation « objective » des personnages, puisque nous n'avons de portrait que par personnes interposées, dans une saisie partielle, qui peut être erronée : l'évêque n'appelle-t-il pas Théophile *preudon* et *senez* (vers 327) quand il est devenu le suppôt du diable ? Thomas n'explique-t-il pas son changement par l'ivresse (vers 372) ? Ainsi s'introduit une pluralité de points de vue et, partant, la complexité du réel, comme sur le renvoi de Théophile (vers 308, 314-315, 608), alors que l'explication de Gautier est univoque [25].

Certains moments sont mis en valeur par Rutebeuf : l'hommage de Théophile à Satan, auquel Gautier ne consacre que deux courtes allusions [26] ; la réconciliation de Théophile et de l'évêque : quinze vers chez Gautier (vers 444-459), une scène de vingt-cinq vers préparée par deux autres scènes chez Rutebeuf ; la confession publique du héros et la lecture finale de la charte : trois vers suffisent à Gautier, tandis que Rutebeuf récapitule tous les événements du drame dans une ultime mise en garde et passe en revue les scènes de la pièce par un effet de miroir.

Ainsi cette dramaturgie originale donne-t-elle à voir et instruit-elle, restituant l'épaisseur des êtres et la mouvance du réel en constant devenir.

Rutebeuf agence de manière personnelle une matière qui préexiste. Gautier soudait au sabbat les entretiens du diable avec Salatin et Théophile ; son successeur les dissocie en déplaçant l'entretien de Salatin avec son maître dans la série des consultations préliminaires à la conclusion de l'accord. Souci de vraisemblance : il semble logique que Satan prenne des informations avant d'accorder le rendez-vous. Souci de variété aussi : Salatin s'éclipse après s'être entretenu en alternance avec Théophile et Satan ; face à l'irrespectueux Salatin qui le semonce, Satan perd son auréole prestigieuse et terrifiante ; en revanche, la vénération de Théophile est mise en relief par l'hommage vassalique qui contrebalance l'image du combat singulier entre le clerc et Dieu, et qui valorise la figure de Théophile, participant directement à l'action. Au contraire, Rutebeuf accorde à la prière de Théophile moins de vers que Gautier, il supprime les véhéments reproches de Marie au clerc [27], la profession de foi [28], accélérant le dénouement et préférant les actes aux paroles que Gautier privilégie par goût de l'analyse psychologique et de la rhétorique scolastique.

Les éléments nouveaux du *Miracle de Théophile* s'expliquent aisément. Comme Gautier nous avait appris que la charte, une fois lue en public, avait été brûlée, Rutebeuf, pour sauvegarder l'illusion de la vérité, imagine la fiction de la lettre commune, témoignage écrit de la main de Satan. D'autre part, il a emprunté à une autre tradition, pour sa puissance symbolique et émotionnelle, le détail de la charte rédigée avec le sang de Théophile (vers 633).

Il a, en outre, imaginé certaines scènes, d'autant plus significatives.

Le monologue de Théophile (vers 101-143), intercalé entre les deux visites à Salatin, intériorise les déterminations extérieures du personnage de Gautier et révèle un souci d'approfondissement psychologique : au cours de cette délibération, le héros décide d'opter pour Satan. La liberté humaine intervient dans le drame, même si elle s'appréhende dans le mal et s'aliène elle-même par la passion qui la prive de lucidité.

L'évocation de Salatin en son langage fantaisiste[29], qui était une scène à faire, remédie aux insuffisances du décor par la puissance incantatoire des mots et manifeste un goût prononcé pour les jeux linguistiques, pour la création d'un langage second.

Les scènes entre Théophile et ses compagnons, Pinceguerre, Pierre et Thomas, constituent des portraits en action qui nous révèlent la personnalité du clerc à travers son comportement envers autrui.

Enfin, quand Marie arrache la charte à Satan, la leçon religieuse devient un spectacle qui illustre la victoire des cieux sur les forces infernales, au moment où, dans le cœur du pécheur, le principe du bien muselle les forces mauvaises. « Aux raisons d'efficacité dramatique, a noté Micheline de Combarieu[30], s'en ajoutent d'autres que l'on peut qualifier de didactiques (présenter une vérité spirituelle de façon qui aide à la retenir), voire de spirituelles (quel rôle joue l'homme en ce combat dont son salut est l'enjeu ?) »

Ainsi donc cette refonte en profondeur du texte de Gautier de Coinci fait du *Miracle de Théophile* une pièce bien construite où alternent les moments statiques, qui manifestent l'être humain dans sa complexité et ses contradictions, et les moments dynamiques, où progresse l'action en même temps que la connaissance des hommes. A quoi il convient d'ajouter le jeu subtil des formes métriques. Rutebeuf s'est inspiré de la tradition la plus récente, celle du *Jeu de saint Nicolas* de Jean Bodel, pour entrelacer toutes les possibilités : couples d'octosyllabes rimant entre eux alliés à un quadrisyllabe ; suites d'octosyllabes à rimes plates ; quatrains d'alexandrins uniformément rimés ; douzains d'hexasyllabes rimés AABAAB BBABBA.

II. UN MICROCOSME
DE L'ŒUVRE DE RUTEBEUF

Le travail créateur de Rutebeuf éclate encore plus quand une lecture attentive discerne dans *Le Miracle de Théophile* de nombreux échos aux autres poèmes, en particulier aux *Poèmes de l'Infortune*, si bien que le miracle apparaît comme une somme, voire un miroir grossissant, qui comporte les grands thèmes de sa poésie.

Il peut s'agir de reprises plus ou moins formelles dont les subtiles variations sont significatives. Ainsi le vers 6, *Bien m'a dit li evesque : Eschac*, se retrouve dans *La Griesche d'été*, où le mot *griesche* désigne à la fois la misère et le jeu de dés :

> La dent dit : Cac,
> et la griesche dit : Eschac (vers 21-22).

Les vers 447-455 répondent en écho aux vers 40-41 de *La Repentance Rutebeuf* :

> … Anemis m'a enchanté
> et m'ame mise en orfenté[31].

Un mot peut rappeler des jeux poétiques de Rutebeuf en d'autres poèmes : le vers 220 répond à la strophe 3 de *La Pauvreté Rutebeuf*, tout entière construite en son début sur la racine *faille*[32], tout comme aux vers 414-417 les jeux annominatifs sur la famille du mot *ors* renvoient au second vers de *Renart le Bétourné*[33].

Mais, au-delà de ces échos fugitifs, ce sont les grands thèmes de la poésie de Rutebeuf que nous retrouvons.

Dans un monde en ruine, le Mal livre une guerre constante au Bien, guerre violente ou sournoise, souvent mortelle. Le diable n'a cessé de harceler Théophile : *J'ai toz jors*, dit-il, *eü a lui guerre* (vers 187), *Je le guerroiai tant com mena sainte vie* (vers 648) ; le nouvel évêque lui a voué, dès son sacre, une haine constante : *Quant il i fu, s'oi a lui guerre* (vers 308) ; Dieu est prêt à *movoir ses guerres* (vers 139) contre lui, et Théophile ne demeure pas en reste : *Paradis n'est pas miens, que j'ai au Seignor guerre* (vers 423).

Le pauvre, coupable ou non, est abandonné de tous, *de Dieu et du monde... hüez et haïs* (vers 397), au moment du plus grand besoin : l'évêque, dit Théophile, *sans avoir m'a lessié tout sangle,* tout seul (vers 8) ; Dieu s'écarte de lui, il ne l'écoute pas (vers 9-16), il l'accable même (vers 52-56), ce qui rappelle le vers 38 de *La Paix Rutebeuf : De totes pars Dieu me guerroie.* La misère crée le vide autour d'elle, *li povres amis est en espace* (*La Paix Rutebeuf,* vers 19) ; *nus ne l'aime* (*Griesche d'hiver,* vers 87), à quoi répond le vers 408 du *Miracle : Ame doit l'en amer, m'ame n'ert pas amee.*

Dans cette jungle, on ne se borne pas à laisser les pauvres à l'abandon, on les dépouille du peu qui leur reste, en sorte qu'ils sont dans l'entière dépendance d'autrui :

Molt i a dolor et destrece,
Quant l'en chiet en autrui dangier
por son boivre et por son mengier (vers 64-66).
......
Quant en autrui dangier sui mis,
Par pou que li cuers ne m'en crieve (vers 70-71).

Le dénuement est total. Théophile est réduit à mourir de faim, à moins de mettre en gages ses vêtements (vers 9-10) ; il est réduit à *chacier* (mendier) *pain* (vers 236-309). C'est le même motif que dans *La Griesche d'hiver : Li dé... m'ont de ma robe tout desfet* (vers 52-53) ; *Li trahitor de pute estrace/M'ont mis sans robe* (vers 62-63).

Dans ce monde à l'envers, le Bien est asservi au Mal, l'Université aux frères mendiants, le riche à l'argent, à la convoitise et à la luxure, le pieux Théophile à l'évêque injuste ; *Le Miracle* le rappelle par l'hommage au diable et par le monologue en quatrains d'alexandrins :

Les richesses du monde que je voloie avoir
M'ont geté en tel leu dont ne me puis ravoir (vers 402-
[403).

On utilise les formules les plus nobles pour donner au
Mal ce que l'on doit au Bien, même son âme.

Ce monde instable, déréglé, qui se refroidit — juillet
ressemble à février, selon *La Griesche d'été* (vers 20) —
est symbolisé par le jeu de dés : *Bien me seront li dé
changié* (vers 122)[34], et par la roue de Fortune :

> Or est tornee ta rouele,
> Or t'est il cheü ambes as (vers 347-348)...

ce qui reprend des vers de *La Voie de Paradis :*

> Més lors li torne la roele
> Et lors li sont li dé changié (vers 318-319).

La Fortune, capricieuse, irrationnelle, règle le cours
du monde, mais elle menace aussi les puissants et les
grands.

Ce passage du Bien au Mal se manifeste par un
mouvement de fermeture, par le passage de l'ouvert au
clos. Espace fermé dont on ne peut sortir, comme de
l'enfer *le noir,* puits plein d'ordure (vers 120) :

> La le covendra remanoir,
> Ci avra trop hideus manoir (vers 111-112),

Espace fermé où l'on ne peut entrer : le pauvre se
heurte aux portes closes des puissants qui refusent de
le recevoir et de lui donner l'aumône (vers 264-265),
tout comme les vices règnent dans des palais herméti-
quement fermés, Avarice *dont mout est bien fermez li
porpris,* l'enclos (*Voie de Paradis,* vers 217), Envie ou
Hypocrisie dont *nuns povres n'i passe la porte/Qui ne
puet doneir sanz prometre* (*Dit d'Hypocrisie,* vers 122-
123), et les moines mendiants qui *ont si bien lor cort
close* (*Bataille des Vices contre les Vertus,* vers 130)[35].
Les seules portes qui soient ouvertes sont celles de la
pauvreté (*Griesche d'hiver,* vers 22-23) ou de l'enfer :

> En enfer ert offerte,
> Dont la porte est ouverte,
> M'ame par mon outrage (vers 480-482).

L'obscurité triomphe de la lumière qui s'est éteinte,
et que Rutebeuf demande à la Vierge de rallumer :

> Roïne debonaire,
> Les iex du cuer m'esclaire
> Et l'obscurté m'esface (vers 504-506)[36].

Le noir l'emporte sur la clarté, marquant l'emprise du
Mal. C'est ainsi que Théophile a longtemps été *en
obscure trace* (vers 511), *en vie trop obscure* (vers 517).
La cécité, dans *La Complainte Rutebeuf* (vers 23-28) est
le signe de l'aveuglement moral.

Monde sans espoir ? Pas tout à fait : si Dieu est
lointain (*On ne puet a lui avenir,* vers 23), dur, strict
justicier, l'amour de la Vierge est inépuisable, on ne
l'invoque jamais en vain ; aussi son nom revient-il
souvent dans l'œuvre de Rutebeuf, dans la *Repentance*
comme dans *Le Miracle de Théophile*[37].

III. L'HISTOIRE D'UNE CONVERSION

Quels que soient les liens que l'on puisse imaginer
entre Théophile et Rutebeuf, *Le Miracle* est surtout
l'histoire d'une conversion. Prenant en charge l'humanité dans sa faiblesse et dans sa vocation au salut, il met
en scène une situation privilégiée où la présence
invisible du divin s'incarne et se révèle. Il faut
considérer cette œuvre à la fois comme l'expression
d'une mentalité religieuse qui croit à la réalité d'êtres
surnaturels et comme une vaste trame symbolique,
chargée de signifier une expérience spirituelle.

Alors que le héros de Gautier de Coinci ne pousse
pas sa révolte jusqu'à accuser directement le Créateur,
celui de Rutebeuf blasphème et se montre sacrilège.
Innovation importante qu'a bien sentie Stéphane Gompertz[38] : Rutebeuf « est le seul à présenter dramatique-
ment la chute de Théophile comme l'abandon du
dialogue avec Dieu au profit du dialogue avec le
diable ». Pourquoi ? Parce que le clerc a la conviction
que le contrat passé avec Dieu s'est révélé un marché
de dupes : bien qu'il ait lui-même rempli ses obliga-
tions (vers 1-5), Dieu ne l'écoute pas (vers 15-16), le
négligeant, le laissant tomber dans la pauvreté : *Or m'a*

bien Diex servi de guile (vers 43)[39]. Aussi le défie-t-il comme un vassal bafoué et rompt-il son engagement, ce qui n'apparaît pas dans Gautier de Coinci qui se borne à noter : *Por un petit Dieu ne renoie* (vers 133), il s'en faut de peu qu'il ne renie Dieu. Le Théophile de Rutebeuf commet le péché contre la foi par le refus de se soumettre aux voies secrètes de Dieu.

Il sombre dans une sorte de folie furieuse[40], cause et conséquence de son éloignement de Dieu, et cette folie le porte à envisager les actes les plus extrêmes, de la grimace irrespectueuse (vers 17, *Et je li referai la moe*) au défi orgueilleux (vers 20, *Ne pris rien Dieu ne sa menace*), de la tentation du suicide (vers 21, *Irai je me noier ou pendre ?*) au désir de nuire à Dieu (vers 24-26), en proie à une démesure prométhéenne (vers 30-33) dont les manifestations encadrent la première rencontre du clerc avec Salatin, puisque Théophile proclame plus tard :

> Se il me het, je harrai lui :
>   Prengne ses erres
> Ou il face movoir ses guerres,
> Tout a en main et ciel et terres ;
>   Je li claim cuite,
> Se Salatins tout ce m'acuite
>   Qu'il m'a pramis (vers 137-143).

C'est cette possession diabolique que représente *Le Miracle*. Mais, alors que dans le texte de Gautier de Coinci c'est Salatin qui mène le jeu avec une extraordinaire habileté, le Théophile de Rutebeuf prend les initiatives, très actif dans sa déchéance comme dans son rachat, la Vierge agissant auprès de Dieu qui lui rend la vue du cœur.

L'on comprend dans ces conditions qu'il se lie avec Satan par un pacte vassalique. Le don de sa personne se manifeste par les gestes et les mots consacrés (vers 239-242). Le diable s'engage en retour (vers 245-247). A quoi s'ajoute l'engagement écrit qui complète le serment oral. Cet engagement est le symbole et la conséquence de l'aliénation, de la dépossession de soi-même, comme le dit Satan à la Vierge :

> Et il me fist de lui offrande
>   Sanz demorance
> De cors et d'ame et de sustance (vers 582-584).

L'esclavage démoniaque se substitue à l'autonomie à l'égard de Dieu.

Ce qui se traduit par l'application d'une contre-morale que le diable expose dans son décalogue (vers 256-284) et que Théophile manifeste dans son comportement avec autrui, avec Pinceguerre, avec l'évêque, avec Pierre et Thomas : nouveauté par rapport à Gautier de Coinci, nous l'avons vu. Possédé par l'esprit du Malin, Théophile contrevient à l'amour du prochain, le cœur empli de rancune et d'animosité, rudoyant ses anciens compagnons, insolent, provocant, brutal. Il rejette en même temps les valeurs courtoises. Son impiété est mise en relief par l'attitude de Pierre et de Thomas qui pratiquent, au plus fort des injures, les vertus évangéliques d'équité, de patience et d'amour.

Sans doute l'exemple de ses compagnons amène-t-il un retour à la conscience chez Théophile qui exhale son désarroi par la multiplication d'interjections et d'expressions qui reviennent comme des sanglots :

> Hé ! laz, chetis, dolanz, que porrai devenir ? (vers 384)
> Hé ! Diex, que feras tu de cest chetif dolent ? (vers 392)
> Sire Diex, que fera cist dolenz esbahis... ? (vers 396)

Il prend conscience de sa faute et de son état de pécheur. Cette étape transitoire contient en germe le ressaisissement de l'être. Théophile renaît à lui-même dans la souffrance avant d'effectuer une conversion définitive vers Dieu.

La raison découvre le moi comme pécheur. Retrouvant sa rectitude d'esprit et son libre arbitre dont l'avait privé la perversion de sa volonté, Théophile peut déplorer les égarements de sa raison aliénée :

> Ha ! las, comme fol bailli et com fole baillie ! (vers 412)

> La Dame qui les siens avoie
> M'a desvoié de male voie

> Ou avoiez
> Estoie et si forvoiez
> Qu'en enfer fusse convoiez
>   Par le deable... (vers 611-616)

L'inclination au mal est ressentie comme une agression de l'extérieur, le péché s'infiltrant dans la personne réduite à l'état de victime passive, dépourvue de conscience et de résistance — *proie* pourchassée (vers 528-531), *prisonnière* des démons (vers 543-544). Plusieurs images suggèrent cette emprise démoniaque : philtre magique, *Maus chans m'ont fet chanter li vin de mon chantier* (vers 405), venin mortel du serpent tentateur, *Maufez, com m'avez mors de mauvese morsure* (vers 419), piège et ruse, *Et des maufez d'enfer engingniez et trahis* (vers 398).

La notion de responsabilité personnelle n'est assumée par le pécheur qu'à de rares moments où il maudit sa convoitise et sa concupiscence qui l'ont précipité dans les filets de Satan :

> Les richeces du monde que je voloie avoir
> M'ont geté en tel leu dont ne me puis ravoir (vers 402-
> [403).

Le plus souvent, la responsabilité de la faute est rejetée sur une puissance surnaturelle qui usurpe la place de Dieu et hypnotise l'homme, être enchaîné en proie aux attaques du Tentateur depuis le péché originel, être infantile, irresponsable, dont la volonté et l'esprit sont si pervertis que l'ignorance des voies de Dieu est sa première misère autant que sa première excuse. La plainte de Théophile s'amplifie de tous les échos de la faiblesse humaine :

> Hé ! las, com j'ai esté plains de grant nonsavoir
> Quant j'ai Dieu renoié por un petit d'avoir (vers 400-
> [401) !

Quand le malheureux prend conscience de sa faute, il éprouve une violente douleur, car il imagine par anticipation les châtiments infernaux qui lui sont promis, salaire du contrat passé avec Satan et juste rétribution du Dieu de justice :

> Hé ! Diex, que feras tu de cest chetif dolant
> De qui l'ame en ira en enfer le boillant,
> Et li maufez l'iront a leur piez defoulant ? (vers 392-394)

Crainte du coupable qui redoute le châtiment, angoisse de la mort subite (vers 547-549) qui le précipitera dans *l'enfer palu* (vers 473), *en la flame D'enfer le noir* (vers 109-110), *flambe pardurable* (vers 114), demeure *si obscure* (vers 118), *puiz toz plains d'ordure* (vers 120), lieu de tous les supplices que résume l'adjectif *dur*[41], et que suggèrent les images de l'âme foulée aux pieds (vers 394) et de l'équarrissage du corps (vers 407).

Cette épouvante, qui ressortit à l'attrition, ne représente que la première étape dans la démarche du repentir : Dieu attend autre chose que de l'effroi. Elle s'accompagne d'ailleurs d'horreur envers soi-même ; de là les interpellations à la terre :

> Terre, comment me pues porter ne soustenir ? (vers [385)
> Ahi ! Terre, quar œuvre, si me va engloutant. (vers 395)

La tristesse du pécheur et le désarroi de sa conscience souffrante s'expriment dans une série d'interrogations qui recourt à deux procédés simples, la *dubitatio* (vers 384, 396) et la répétition :

> Quant j'ai Dieu renoié... (vers 386)
> Or ai Dieu renoié (vers 388)
> Quant j'ai Dieu renoié (vers 391)

De là une sévère appréciation sur sa culpabilité :

> En vilté, en ordure,
> En vie trop obscure
> Ai esté lonc termine... (vers 516-518)

et, sous la forme d'une vérité universelle, l'arrêt de sa propre condamnation :

> Trop a male semence en semoisons semee
> De qui l'ame sera en enfer sorsemee (vers 410-411).

« Il a semé aux semailles de très mauvaises semences, celui dont l'âme sera moissonnée en enfer. »

Le sentiment de l'irréparable le pousse à envisager

fugitivement le suicide (vers 396-399), sans toutefois le dire clairement comme au vers 21, car Théophile a déjà évolué. Personnage traqué, il s'apparente lui-même à Judas, comme on peut le comprendre de la locution imagée qu'il s'applique à lui-même : *Si ai lessié le basme, pris me sui au seü*, « j'ai abandonné le baume, je me suis attaché au sureau » (vers 388). Or le sureau est l'arbre auquel Judas s'était pendu.

Mais le remords laisse vite la place au repentir. Théophile se tourne vers la Vierge. Le changement se fait entre les vers parallèles 424-425 :

> Je n'os Dieu reclamer ne ses sains ne ses saintes,
> Las, que j'ai fet hommage au deable mains jointes.

et 428-429 :

> Je n'os Dieu ne ses saintes ne ses sainz reclamer
> Ne la tresdouce Dame que chascuns doit aimer.

Le clerc se rallie délibérément à la Vierge et à Dieu qui prennent une place de plus en plus importante dans ses propos, faisant la preuve d'une volonté reconquise qui s'affirme dans un choix réfléchi et librement adopté. Théophile joue un rôle actif dans son pardon, dans sa restauration de la grâce divine, à la différence de ce qui se passe dans Gautier de Coinci.

Il tombe à genoux devant l'autel de la Vierge qu'il implore avec humilité et ferveur, il accueille dans son cœur l'amour de celle qui se veut la mère des pécheurs repentis, de toute l'humanité régénérée. De son plein gré, il se range sous sa tutelle par l'hommage (vers 486), il lui demande de le ramener au Christ (vers 532), il persévère malgré un premier refus (vers 552-553). Il met un terme à sa sécession, il résilie l'engagement qu'il a pris envers Satan, par un signe d'allégeance volontaire, de soumission et d'adhésion filiale qui le rattache à la volonté du Père et le réintègre dans la volonté de ceux qui l'ont choisi : il renouvelle l'alliance primitive.

La révolution intime de Théophile, pour se réaliser complètement, demande l'intervention de la Vierge qui établit des rapports exceptionnels avec Dieu. Sa maternité la constitue coopératrice de la rédemption du monde, l'associe au Christ dans l'œuvre de rachat de l'humanité (vers 468-476), reine toute-puissante (*Sainte roïne bele*, vers 432, *Roïne debonaire*, vers 504, *Roïne nete et pure*, vers 519), dame envers qui il a pris un engagement de vassal, dame irradiant de l'éclat de sa bonté, abîme de miséricorde, exorcisant le mal, lavant les plaies et répandant sur elles un baume cicatrisant, source de vie qui aide à l'illumination de l'âme.

Le *Miracle de Théophile* est donc la quête et l'itinéraire spirituels d'une âme qui éprouve en elle la présence dégradante du Mal et qui, désireuse de vivre dans l'amour et la connaissance de Dieu, accomplit son ascension vers la Jérusalem céleste. La leçon du *Miracle de Théophile*, comme des *Poèmes de l'Infortune*, est sans doute qu'il faut aller au fond de la misère et du dénuement, matériel et spirituel, pour trouver la vraie foi et la vraie poésie [42].

IV. RUTEBEUF ET THÉOPHILE

Compte tenu du nombre élevé de rencontres entre *Le Miracle de Théophile* et le reste de l'œuvre de Rutebeuf, on peut soutenir que le premier, malgré son style elliptique, intègre les thèmes, les symboles, les images chers au poète, dans un cheminement spirituel qui reconstitue peut-être sa vie même, mettant en place les responsabilités de chacun — de l'évêque, représentant l'Église toute-puissante, qui l'a injustement dépossédé et traité, mais surtout de lui-même qui n'a pas accepté les épreuves avec la patience d'un chrétien — exorcisant ses hantises, ses contradictions et ses tentations, exprimant ses plus profondes espérances. Dans cette sorte de psychodrame, Rutebeuf cherche à se comprendre, à aller au-delà des apparences, à expliciter son cas, comme dans *La Repentance Rutebeuf,* à tort appelée *La Mort Rutebeuf,* et qui semble étroitement

liée au *Miracle de Théophile*, et il se juge sévèrement : il
a accepté de se vendre au plus offrant, de vendre son
âme pour acquérir ou recouvrer le pouvoir et la
richesse qui l'obsèdent au point de ne pas supporter
d'en être démuni :

> Se tu riens pooies savoir
> Par qoi je peüsse ravoir
> M'onor, ma baillie et ma grace,
> Il n'est chose que je n'en face (vers 77-80).

Il l'a fait de manière masquée, sans que personne en
sût rien : *Ja nus n'en porra riens savoir* (vers 131).
Quand il a été dur, insolent, caustique, il n'était pas
inspiré par le sens de la vérité, comme il le prétend
dans les *Poèmes de l'Université*, mais par le démon,
ainsi qu'il le dit de façon explicite dans *La Repentance
Rutebeuf* (vers 37-40) :

> J'ai fet au cors sa volenté,
> J'ai fet rimes et s'ai chanté
> Sor les uns por as autres plere,
> Dont Anemis m'a enchanté...

« J'ai cédé à tous les désirs de mon corps, j'ai fait des
vers et chanté contre les uns pour plaire aux autres,
ensorcelé par le Démon... » A la lumière du *Miracle de
Théophile*, on comprend mieux la fin énigmatique de
La Paix Rutebeuf, où le pauvre, chassé de la cour, en
butte à l'hostilité universelle (*De totes pars Dieu me
guerroie./De totes pars pers je chevance*) lance une
menace :

> Mais bien le sache et si le croie :
> J'avrai asseiz ou que je soie,
> Qui qu'en ait anui et pesance.

« Mais qu'il soit persuadé de cette vérité : j'aurai
toujours assez où que je sois, et tant pis pour qui en
concevra dépit ou regret ! » Il donne la vraie significa-
tion de son comportement en retraçant son itinéraire,
de la misère (vers 606-607) et de la révolte (vers 608-
609) à la mort spirituelle du pauvre (vers 610), puis au
recours à la Vierge et sa réconciliation avec les autres

et avec Dieu, sans qu'on puisse savoir si cette réconciliation fut une réalité, comme l'ont cru les premiers commentateurs de Rutebeuf, ou simplement une espérance.

L'œuvre, en fait, demeure ambiguë : retrace-t-elle, à grands traits et de manière symbolique, l'itinéraire réel du poète, ou bien exprime-t-elle ses tentations, ses rêves, ses espoirs, ou bien présente-t-elle un cas extrême qui atténue les propres fautes de Rutebeuf ? Impossible de trancher.

De surcroît, le miracle est complexe, puisqu'à travers les échos et les reprises que nous avons signalés, il peut concerner aussi bien un jongleur (vers 36), un prêtre (vers 297), un clerc (vers 177, 181), ou un seigneur (vers 48, 246-247) qui peut être un sénéchal (vers 280). De même, il peut s'appliquer aux prêtres et aux frères mendiants, rappelés à leur vocation première, qui refusent maintenant la pauvreté et ne se soucient plus de Dieu, lui déclarant même la guerre, cruels, vindicatifs, violents, ne pensant plus qu'au pouvoir et à l'argent. Rutebeuf leur rappelle que ce comportement est proprement satanique et qu'ils ne peuvent se sauver qu'en renonçant aux apparences, en se jetant aux pieds de Marie, en s'humiliant, en confessant leurs fautes.

Ainsi donc Théophile, clerc d'Adana du vi^e siècle, se trouve-t-il, sous la plume de Rutebeuf, investi des tourments de l'auteur, qui s'y dévoile dans son passé et dans son futur, aussi bien que des égarements qu'il stigmatise dans son siècle.

Jean DUFOURNET

NOTES

1. Pour une étude plus générale sur Rutebeuf, se reporter à notre introduction de Rutebeuf, *Poèmes de l'infortune et autres poèmes*, Paris, Gallimard, 1986 (*Poésie Gallimard*) et à notre étude (en collaboration avec François de la Bretèque) sur *L'Univers poétique et moral de Rutebeuf*, dans *Poètes du XIIIe siècle*, *Revue des Langues romanes*, t. 88, 1984, pp. 39-78. Sur le nom de Rutebeuf, voir notre article dans *Les Mélanges... Charles Foulon*, Rennes, 1980, t. I, pp. 105-114.

2. Selon André Tissier, *La Farce en France de 1450 à 1550*, Paris, CDU-SEDES, 1976, p. 14, « Le miracle est un drame qui fait appel à l'intervention du Ciel, et particulièrement à celle de la Vierge Marie, pour sauver quelqu'un d'une situation désespérée ou perdue ». Sur le théâtre religieux au Moyen Âge, voir le petit livre très bien fait de Michel Lioure, *Le Théâtre religieux en France*, Paris, PUF, 1982 (*Que sais-je*, 2062).

3. Reproduit par Edmond Faral et Julia Bastin dans leur excellente édition des *Œuvres complètes de Rutebeuf*, Paris, Picard, 1960-1961, t. II, p. 177. — Edition qu'on a toujours intérêt à utiliser, en particulier pour ses notices, ses notes et son lexique.

4. Voir l'éd. Roze, Paris, GF Flammarion, 2 vol., 1967, t. II, pp. 181-182.

5. Édité par A. Crampon dans les *Mémoires de la Société des Antiquaires de Picardie*, 1876, 3e série, V, 25, pp. 551-601 (l'allusion à Théophile se trouve aux pages 568-569). Sur ce sermon, voir le livre de Michel Zink sur *La Prédication en langue romane avant 1300*, Paris, Champion, 1976.

6. Sur ce point, voir Grace Frank dans sa très bonne édition du *Miracle de Théophile*, Paris, Champion, pp. XIII-XIV : « En latin, nous connaissons plus de vingt-cinq rédactions diverses en prose et en vers. En français, on a signalé quatre poèmes narratifs, plusieurs versions en prose, deux soi-disant *Prières de Théophile* en vers, le

miracle de Rutebeuf et un fragment d'un autre miracle anonyme composé et joué à Caen, probablement entre 1502 et 1510. En anglais, il y a une grande quantité de poèmes narratifs renfermant au moins quatre versions diverses de la légende ; en allemand, nous connaissons trois poèmes narratifs et trois drames ; en italien, un drame et diverses versions en prose ; en espagnol, au moins quatre versions, deux en vers, deux en prose ; en hollandais, un poème et au moins une version en prose ; en anglo-saxon, une version en prose ; en islandais, trois rédactions en prose ; en suédois, au moins une version en prose ; et cette liste est sans doute bien incomplète. » Sur la tradition relative à la légende de Théophile, on consultera K. Plenzat, *Die Theophiluslegende in den Dichtungen des Mittelalters,* Berlin, 1926 (*Germanische Studien,* 43).

7. C'est un moine qui vécut entre 1177 et 1236 et finit grand-prieur de Saint-Médard de Soissons. Il composa deux livres de *Miracles de Notre-Dame,* qui comportent, outre les prologues, des chansons lyriques, des poèmes pieux et près de soixante miracles, écrits, à partir d'un manuscrit latin trouvé dans la bibliothèque de Saint-Médard, dans une langue très riche, d'une extrême habileté technique (rimes équivoques, annominations, images et locutions colorées), au service d'une vigoureuse satire contre tous les ordres de la société. L'œuvre a été éditée, en cinq volumes, par V. F. Koenig, Genève, Droz, à partir de 1955 (*Textes littéraires français*). *Le Miracle de Théophile* se trouve dans le premier volume. C'est cette édition que nous citons.

8. Vers 460-538, dont nous citons dans les notes la traduction.

9. Vers 324-336 : « Il lui sembla qu'un grand feu embrase le pays tout entier. Il voit plus de cent mille démons : on dirait que la ville est cernée par leurs processions, et ces diables ne sont ni muets ni discrets ni taciturnes, mais ils font un tel bruit, un tel tapage, que tout le pays, semble-t-il, en résonne. Ils transportent leur seigneur et maître. Ils tiennent des candélabres et des cierges, et sont revêtus de manteaux blancs. S'il avait osé, c'est alors que messire Théophile se serait volontiers mis à l'écart, à condition que le Juif ne l'en blâmât point. »

10. Vers 921-923 : « Quarante jours durant, Théophile demeura dans le temple, faisant abstinence et versant des pleurs... » ; vers 1261-1263 : « Théophile, empli d'allégresse, resta trois jours entiers agenouillé dans le temple. »

11. Vers 126-132 : « Le trompeur qui a plus d'un tour dans son sac, jour et nuit, tourne autour de Théophile : il lui livre des assauts si nombreux et lui impose des tentations si fortes, il le torture si durement et l'anime de tant d'ardeur et de colère que le malheureux ne sait plus que faire ni que dire. »

12. Vers 433-440 : « Par l'effet de la divine providence (mon cœur me le fait pressentir), au cours de la même nuit, l'évêque éprouva un sentiment qui le tourmenta douloureusement et le mit à la torture

quand il eut dépouillé sans raison Théophile de sa charge. Que de remords en la conscience de cet homme plein de sagesse, de vie droite et exemplaire ! »

13. Vers 726-730 : « Le Saint-Esprit inspire à son cœur un zèle si pieux et une affliction si grande que sans repos, jour et nuit, il pleure sur ses péchés. »

14. *Du dialogue perdu au dialogue retrouvé. Salvation et détour dans le Miracle de Théophile de Rutebeuf,* dans *Romania,* t. 100, 1979, pp. 525-526.

15. Vers 424-426 : *Li dyables sanz plus d'aloigne / En enfer ses lettres enporte. / Mout est joians, mout se deporte.*

16. Vers 454-455 : *Tant par est liez ne set que dire / Theophilus de ces noveles;* et vers 1261 : *Theophilus, qui mout fu liez...*

17. Vers 706, 711, 835-836, 894, 981, 1268-1272 : *Et tant eut grant contriciön / Et de larmes tele habundance / Qu'environ lui tout sanz doutance, / Se l'escriture ne me ment, / Arousa tout le pavement.*

18. Voir vers 1398-1400 : « Dévotement, le malheureux l'en a remerciée à mains jointes plus de mille fois pour le moins » ; vers 407-410 : « Théophile, ce dévoyé, en homme qui a perdu l'esprit, tombe aussitôt aux pieds du diable et les embrasse avec humilité » ; vers 1431-1433 : « Il s'est couché aux pieds de l'évêque et rejette de son corps toute l'ordure qui s'y trouve ». Toutes ces notations de Gautier peuvent aider à la mise en scène du *Miracle de Théophile,* de même que les sculptures du portail nord de Notre-Dame de Paris pour représenter le diable.

19. Vers 295-298 : « Ce voleur, ce coupeur de bourses le pousse sur un chemin où le malheureux se perdra corps et âme sans l'intervention de Dieu et de Notre-Dame » ; vers 561-563 : « Théophile a commis tant de fautes que, si Notre-Dame n'intervient pas, il n'obtiendra plus jamais miséricorde. »

20. Vers 175-181 : « Théophile, ce sot qui, vous l'avez entendu, a été trompé et abêti, lui qui n'a plus ni sens ni raison tant l'Ennemi l'a ébloui, s'est rendu chez le Juif en homme conduit par le démon » ; vers 614-616 : « Les diables ont éteint sa lampe, il ne sait plus de quel côté se diriger, s'il fait nuit ou s'il fait jour. »

21. Comme dans l'allégorie du cheval emballé qui traduit l'aveuglement de la conscience humaine (vers 621-698). En particulier vers 652-655 : « Théophile vit son cheval, col tendu, lancé droit vers l'enfer. Il saisit alors à pleines mains les rênes qu'il avait lâchées et les maintint fermement. » Le cheval représente le corps et les rênes la conscience.

22. Vers 159-174 : « Dans la ville, il y avait un Juif qui était si habile en arts magiques, en prestidigitation et sorcellerie, en ruses et sortilèges, qu'il pouvait faire apparaître devant lui les ennemis et les diables et s'entretenir avec eux. Ce Juif était si fourbe et connaissait

tant de ruses qu'il avait circonvenu l'esprit des hommes les plus sages de la ville. Il connaissait si bien la magie noire qu'il faisait faire au diable tout ce qui lui plaisait. »

23. Après les vers 101, 169, 345.

24. « Théophile est tout agité de tremblements, il a tellement peur qu'il ne trouve rien à répondre. »

25. Vers 118-121 : *Maus consaus luez tant le* (le nouvel évêque) *maira / Et tant le taria Envie / Theophilum sa signorie / Toli et fist novial vidame;* en traduction : « Aussitôt une inspiration mauvaise s'empara de lui et l'envie le tourmenta si fort qu'il retira à Théophile sa seigneurie et choisit un autre intendant. »

26. Vers 955-957, 1443-1445. Micheline de Combarieu a eu raison de noter que « le diable est, en tant que personnage, beaucoup plus présent chez Rutebeuf que chez Gautier » (dans *Senefiance* n° 6, *Le Diable au Moyen Âge*, 1979, p. 165).

27. Vers 936-980. Voir Stéphane Gompertz, *art. cit.*, p. 527 : « ... il est clair que Rutebeuf a voulu accorder une place moins grande à la pénitence matérielle qu'à la conversion intérieure. A la mise en valeur de la rupture du dialogue au début de la pièce répond, à la fin, celle de son rétablissement. Intériorisation, dramatisation : chute et retour sont bien l'œuvre de l'individu, dût-il pour cela se mettre complètement en question ; plus que par des gestes, l'action s'exprime par les métamorphoses de la parole ».

28. Vers 1162-1190 : « Je crois de tout mon cœur, de toute mon âme, Dame très douce, tout ce que vous me dites. Je crois qu'en votre sein a été conçu du Saint Esprit le roi qui pour nous reçut la mort sur la croix. [...] Je crois et je sais, étoile brillante, qu'Il voulut faire de toi sa mère. Je crois et je sais, qui que je sois, que ta volonté est la sienne et que sa volonté est la tienne. Vierge très noble, douce et pieuse, je crois et sais de tout mon cœur, de toute mon âme, que tu es Dame et Reine du ciel, clé et serrure du paradis, Tu es Dame du ciel, tu es Dame de la terre, Dame d'ici-bas, Dame de là-haut... »

29. Voir G. Dahan, *Salatin du Miracle de Théophile de Rutebeuf* dans le *Moyen Âge*, t. 83, 1977, pp. 460-465.

30. *Art. cit.*, p. 170.

31. Pour d'autres exemples, se reporter aux notes des vers 5, 37, 36, 67, etc.

32. Voir notre étude *Sur trois poèmes de Rutebeuf,* dans *Hommage à la mémoire de Gérard Moignet,* Strasbourg, 1980, pp. 413-428.

33. Voir notre article sur *Rutebeuf et le Roman de Renart,* dans *L'Information littéraire,* 1978, n° 1, pp. 7-15.

34. Voir aussi les vers 608-609, et la note.

35. Voir notre article sur *Rutebeuf et les moines mendiants,* dans *Neuphilologische Mitteilungen,* 1984, t. 85, pp. 152-168.

36. Voir aussi les vers 524-527.

37. Sur Rutebeuf et la Vierge, voir notre article à paraître dans *Bien dire et bien aprendre*, Lille, octobre 1987.

38. *Art. cit.*, p. 520.

39. Sur l'importance des préoccupations sociales et des intérêts matériels, voir de Moshé Lazar : *Theophilus : servant of two Masters. The Prefaustian Theme of Despair and Revolt*, dans *Modern Language Notes*, t. 87, 1973, p. 30.

40. Cf. Gautier de Coinci, vers 178-179 : « Et qu'anemis ot esbloï / Si qu'en lui n'ot sens ne raison. »

41. Vers 418, *mort dure* ; 462, *ci avra dure verve* ; 482, *ci avra dure perte* ; 488, *por ma dure deserte*.

42. Voir aussi Stéphane Gompertz, *art. cité*, pp. 525-526. Pour une explication différente, voir l'article de M. de Combarieu, pp. 176-178. En revanche, le regretté René Ménage a proposé une explication proche de la nôtre : « C'est l'histoire d'un reniement volontaire et lucide, et celle d'un remords et d'un repentir où je vois des actes libres. La part de Théophile dans sa propre chute et dans son propre salut équilibre celle des personnages célestes et infernaux. » On consultera aussi avec grand profit l'article d'Edelgard DuBruck, *The Devil and Hell in Medieval French Drama*, dans *Romania*, t. 100, 1979, pp. 165-179.

LE MIRACLE DE THÉOPHILE

LISTE DES PERSONNAGES

Théophile.
Salatin.
Le diable ou Satan.
L'évêque.
Pinceguerre, clerc de l'évêque.
Pierre, compagnon de Théophile.
Thomas, compagnon de Théophile.
Notre-Dame.

CI COMMENCE
LE MIRACLE DE THEOPHILE

Ahi ! ahi ! Diex, rois de gloire,
Tant vous ai eü en memoire
Tout ai doné et despendu
4 Et tout ai aus povres tendu :
Ne m'est remez vaillant un sac.
Bien m'a dit li evesque : « Eschac ! »
Et m'a rendu maté en l'angle.
8 Sanz avoir m'a lessié tout sangle.
Or m'estuet il morir de fain
Se je n'envoi ma robe au pain.
Et ma mesnie, que fera ?
12 Ne sai se Diex les pestera...
Diex ? Oïl ! qu'en a il a fere ?
En autre lieu les covient trere,
Ou il me fet l'oreille sorde,
16 Qu'il n'a cure de ma falorde.
Et je li referai la moe.
Honiz soit qui de lui se loe !
N'est riens c'on por avoir ne face :
20 Ne pris riens Dieu ne sa manace.
Irai me je noier ou pendre ?
Je ne m'en puis pas a Dieu prendre,
C'on ne puet a lui avenir.
24 Ha ! qui or le porroit tenir
Et bien batre a la retornee,

ICI COMMENCE
LE MIRACLE DE THÉOPHILE

THÉOPHILE

Hélas ! hélas ! Dieu, roi de gloire,
j'ai si bien gardé votre mémoire
que j'ai tout donné et dépensé
4 et aux pauvres tout distribué :
il ne m'est resté sou vaillant.
L'évêque m'a bien dit : « Echec ! »
et il m'a fait mat dans un coin.
8 Il m'a laissé tout seul, sans avoir.
Maintenant, j'en suis réduit à mourir de faim,
si je n'engage ma robe pour avoir du pain.
Et les miens, que feront-ils ?
12 Je ne sais si Dieu les nourrira.
Dieu ? Oui, pour ce qu'il s'en soucie !
Force leur est d'aller ailleurs,
puisqu'il me fait la sourde oreille
16 et n'a cure de ma chanson.
Eh ! bien, moi, je lui ferai la nique.
Honni celui qui se loue de lui !
Il n'est rien qu'on ne fasse pour de l'argent :
20 je me moque de Dieu et de ses menaces.
Irai-je me noyer ou me pendre ?
Je ne puis m'en prendre à Dieu,
car il est hors d'atteinte.
24 Ah ! si on pouvait le tenir
et le rouer de coups en retour,

Molt avroit fet bone jornee !
Més il s'est en si haut leu mis,
28 Por eschiver ses anemis,
C'on n'i puet trere ne lancier.
Se or pooie a lui tancier
Et combatrë et escremir,
32 La char li feroie fremir.
Or est lasus en son solaz,
Laz, chetis, et je sui es laz
De Povreté et de Soufrete.
36 Or est bien ma vïele frete,
Or dira l'en que je rasote ;
De ce sera més la rïote,
Je n'oserai nului veoir,
40 Entre gent ne devrai seoir,
Que l'en m'i mousterroit au doi.
Or ne sai je que fere doi,
Or m'a bien Diex servi de guile.

> *Ici vient Theophiles a Salatin, qui parloit au*
> *deable quant il voloit.*

44   Qu'est ce ? qu'avez vous, Theophile ?
Por le grant Dé, quel mautalent
Vous a fet estre si dolent ?
Vous soliiez si joiant estre !

> THEOPHILE *parole.*

48 C'on m'apeloit seignor et mestre
De cest païs, ce sez tu bien ;
Or ne me lesse on nule rien ;
S'en sui plus dolenz, Salatin,
52 Quar en françois ne en latin
Ne finai onques de proier
Celui c'or me veut asproier
Et qui me fet lessier si monde
56 Qu'il ne m'est remez riens el monde.
Or n'est nule chose si fiere
Ne de si diverse maniere
Que volentiers ne la feïsse,

on n'aurait pas perdu sa journée !
Mais il s'est logé si haut,
28 pour échapper à ses ennemis,
qu'on ne peut rien lui jeter à la tête.
Si je pouvais à cette heure le provoquer
et le combattre et l'attaquer,
32 je le ferais frémir dans sa chair.
Mais il est là-haut bien tranquille,
et moi, malheureux, je suis pris au piège
de Pauvreté et de Privation.
36 Ma vielle est bel et bien brisée,
et l'on dira que je radote,
on jasera sur mon compte,
je n'oserai plus voir personne,
40 je ne pourrai plus m'asseoir parmi les autres,
car on m'y montrerait du doigt.
Je ne sais plus ce que je dois faire.
Ah ! Dieu m'a joué un sacré tour !

Ici Théophile vient voir Salatin qui parlait au diable quand il le voulait.

SALATIN

44 Qu'y a-t-il ? Qu'avez-vous, Théophile ?
Par le grand Dieu, quel chagrin
vous donne l'air si triste,
à vous d'habitude si joyeux ?

THÉOPHILE *parle.*

48 C'est qu'on m'appelait seigneur et maître
de ce pays, tu le sais bien,
et maintenant on ne me laisse plus rien.
J'en suis d'autant plus affecté, Salatin,
52 qu'en français comme en latin,
je ne cessai jamais de prier
celui qui maintenant me martyrise
et me dépouille de tant de choses
56 qu'il ne m'est rien resté au monde.
Il n'est rien de si cruel
ni de si mauvais
que je n'accomplisse de bon cœur,

60 Par tel qu'a m'onor revenisse :
Li perdres m'est honte et domages.

Ici parole Salatins :

Biaus sire, vous dites que sages ;
Quar qui a apris la richece,
64 Molt i a dolor et destrece
Quant l'en chiet en autrui dangier
Por son boivre et por son mengier :
Trop i covient gros mos oïr.

THEOPHILES

68 C'est ce qui me fet esbahir.
Salatin, biaus tres douz amis,
Quant en autrui dangier sui mis
Par pou que li cuers ne m'en crieve.

SALATINS

72 Je sai or bien que molt vous grieve
Et molt en estes entrepris,
Comme hom qui est de si grant pris
Molt en estes mas et penssis.

THEOPHILES

76 Salatin frere, or est ensis ;
Se tu riens pooies savoir
Par qoi je peüsse ravoir
M'onor, ma baillie et ma grace,
80 Il n'est chose que je n'en face.

SALATINS

Voudriiez vous Dieu renoier
Celui que tant solez proier,
Toz ses sains et toutes ses saintes,
84 Et si devenissiez, mains jointes,
Hom a celui qui ce feroit
Qui vostre honor vous renderoit,
Et plus honorez seriiez,

60 pourvu que je retrouve ma dignité :
   sa perte me cause de la honte et du tort.

Ici parle SALATIN.

Cher seigneur, c'est la sagesse même,
car si l'on a appris à être riche,
64 on endure double douleur et détresse
quand on tombe sous la coupe d'autrui
pour le boire et pour le manger.
Il faut entendre alors des propos bien cruels.

THÉOPHILE

68 C'est bien ce qui m'effraie,
Salatin mon très cher ami.
Puisque me voici sous la coupe d'autrui,
peu s'en faut que mon cœur n'éclate.

SALATIN

72 Je comprends maintenant le poids
de votre souffrance et de votre embarras.
Un homme de votre mérite !
Vous en êtes tout affligé et pensif.

THÉOPHILE

76 Salatin mon frère, les choses en sont au point
que, si tu connaissais un moyen
qui me permît de recouvrer
honneur, charge et faveur,
80 je ne reculerais devant rien.

SALATIN

Accepteriez-vous de renier ce Dieu
que vous avez coutume de tant prier,
et tous ses saints et toutes ses saintes,
84 et de devenir, mains jointes,
le vassal de celui qui ferait tant
qu'il vous rendrait votre dignité,
et que vous seriez plus honoré,

88 S'a lui servir demoriiez,
  C'onques jor ne peüstes estre ?
  Creez moi, lessiez vostre mestre.
  Qu'en avez vous entalenté ?

THEOPHILES

92 J'en ai trop bone volenté :
  Tout ton plesir ferai briefment.

SALATINS

  Alez vous en seürement ;
  Maugrez qu'il en puissent avoir,
96 Vous ferai vostre honor ravoir.
  Revenez demain au matin.

THEOPHILES

  Volentiers, frere Salatin.
  Cil Diex que tu croiz et aeures
100 Te gart, s'en ce propos demeures !

Or se depart Theophiles de Salatin et si pense
que trop a grant chose en Dieu renoier et dist :

  Ha ! laz, que porrai devenir ?
  Bien me doit li cors dessenir
  Quant il m'estuet a ce venir.
104   Que ferai, las ?
  Se je reni saint Nicholas
  Et saint Jehan et saint Thomas
     Et Nostre Dame,
108 Que fera ma chetive d'ame ?
  Ele sera arse en la flame
     D'enfer le noir.
  La la covendra remanoir.
112 Ci avra trop hideus manoir,
     Ce n'est pas fable.
  En cele flambe pardurable
  N'i a nule gent amïable,

88 si vous restiez à son service,
que vous ne l'avez jamais été ?
Croyez-moi, abandonnez votre maître.
Qu'avez-vous décidé ?

THÉOPHILE

92 Je le désire de tout mon cœur :
je ferai sur-le-champ tout ce qui te plaira.

SALATIN

Allez-vous-en rassuré ;
si mécontent qu'on en soit,
96 je vous ferai recouvrer votre honneur.
Revenez demain matin.

THÉOPHILE

Volontiers, frère Salatin.
Que ce Dieu en qui tu crois et que tu adores
100 te garde, si tu ne changes pas d'avis !

> *Théophile quitte alors Salatin et, songeant que
> ce n'est pas une mince affaire que de renier Dieu,
> dit :*

Ah ! malheureux, que vais-je devenir ?
J'ai des raisons de m'affoler,
puisque j'en viens à cette extrémité.
104   Que faire, ô misère ?
Si je renie saint Nicolas,
saint Jean et saint Thomas,
      et Notre-Dame,
108 que deviendra ma pauvre âme ?
Elle sera brûlée dans les flammes
      de l'enfer ténébreux.
Il lui faudra y rester.
112 Quelle horrible demeure !
      Ce ne sont pas sornettes.
En cette éternelle fournaise
il n'est point de gens aimables,

116 Ainçois sont mal, qu'il sont deable :
      C'est lor nature ;
Et lor mesons rest si obscure
C'on n'i verra ja soleil luire,
120 Ainz est uns puis toz plains d'ordure.
      La irai gié !
Bien me seront li dé changié
Quant, por ce que j'avrai mengié,
124 M'avra Diex issi estrangié
      De sa meson,
Et ci avra bone reson.
Si esbahiz ne fu més hom
128   Com je sui, voir.
Or dit qu'il me fera ravoir
Et ma richece et mon avoir.
Ja nus n'en porra riens savoir :
132   Je le ferai !
Diex m'a grevé : jel greverai,
Ja més jor ne le servirai ;
      Je li ennui.
136 Riches serai se povres sui !
Se il me het, je harrai lui :
      Prengne ses erres
Ou il face movoir ses guerres !
140 Tout a en main et ciel et terres ;
      Je li claim cuite,
Se Salatins tout ce m'acuite
      Qu'il m'a promis.

                   Ici parole Salatins au deable et dist :

144 Uns crestïens s'est sor moi mis,
Et je m'en sui molt entremis,
Quar tu n'es pas mes anemis.
      Os tu, Sathanz ?
148 Demain vendra, se tu l'atans.
Je li ai promis quatre tans.
      Aten le don,
Qu'il a esté molt grant preudon :
152 Por ce si a plus riche don ;
Met li ta richece a bandon.

116 mais des méchants, car ce sont des démons :
          c'est leur nature.
Et leur maison est si obscure
qu'on n'y verra jamais luire le soleil ;
120 c'est un puits rempli d'ordure,
          et c'est là que j'irai !
Ma chance aura bien tourné,
puisque, pour avoir voulu manger,
124 Dieu m'aura ainsi exilé
          de sa maison,
et il aura bien raison.
Jamais homme ne fut aussi affligé
128   que moi, vraiment.
Il m'assure qu'il me fera recouvrer
mes richesses et mes biens.
Jamais personne n'en pourra rien savoir :
132   je le ferai !
Dieu m'a affligé, je l'affligerai,
jamais plus je ne le servirai :
          ça l'ennuiera !
136 Pauvre je suis, riche je serai.
S'il me hait, je le haïrai.
          Qu'il prenne ses mesures
et mette en branle sa guerre !
140 Il a tout dans sa main, le ciel et la terre ;
          je les lui laisse,
si Salatin s'acquitte de toutes
          ses promesses.

          Ici Salatin parle au diable et lui dit :

144 Un chrétien s'en est remis à moi,
et je m'en suis bien occupé,
car tu n'es pas mon ennemi.
          M'entends-tu, Satan ?
148 Il viendra demain, si tu l'attends.
Je lui ai promis le quadruple.
          Attends-le donc,
car il a été très pieux.
152 Le cadeau en est encore plus beau.
Abandonne-lui tes richesses.

    Ne m'os tu pas ?
Je te ferai plus que le pas
156   Venir, je cuit ;
Et si vendras encore anuit,
Quar ta demoree me nuit ;
      Si ai beé.

Ci conjure Salatins le deable :

160 Bagahi laca bachahé
Lamac cahi achabahé
      Karrelyos
Lamac lamec bachalyos
164 Cabahagi sabalyos
      Baryolas
Lagozatha cabyolas
Samahac et famyolas
168   Harrahya.

Or vient li Deables qui est conjuré et dist :

Tu as bien dit ce qu'il i a :
Cil qui t'aprist riens n'oublïa.
      Molt me travailles !

SALATINS

172 Qu'il n'est pas droiz que tu me failles,
Ne que tu encontre moi ailles,
      Quant je t'apel.
Je te faz bien suer ta pel.
176 Veus tu oïr un geu novel ?
      Un clerc avons
De tel gaaing com nous savons :
Soventes foiz nous en grevons
180   Por nostre afere.
Que loez vous du clerc a fere
Qui se voudra ja vers ça trere ?

LI DEABLES

Comment a non ?

Ne m'entends-tu pas ?
Je te ferai venir au galop,
156   tu peux me croire !
Et tu viendras dès ce soir,
car ton retard m'exaspère ;
          j'ai trop attendu.

Ici Salatin conjure le diable :

160 Bagahi laca bachabé
Lamac cahi achabahé
          Karrelyos
Lamac lamec bachalyos
164 Cabahagi sabalyos
          Baryolas
Lagozatha cabyolas
Samahac et famyolas
168   Harrahya.

*Alors survient le diable qui a été évoqué, et il
dit :*

Tu as bien dit ce qu'il faut :
ton maître n'a rien oublié.
          Ah ! que tu me tourmentes !

SALATIN

172 C'est qu'il n'est pas juste que tu me fasses
faux bond, ni que tu me résistes
          quand je t'appelle.
Je te fais suer sang et eau...
176 Veux-tu apprendre un nouveau tour ?
          Nous avons un clerc
dont nous connaissons le prix :
nous nous donnons souvent du mal
180   pour nos affaires.
Que conseillez-vous de faire du clerc
qui bientôt voudra s'approcher d'ici ?

LE DIABLE

Quel est son nom ?

SALATINS

184 Theophiles par son droit non.
Molt a esté de grant renon
         En ceste terre.

LI DEABLES

J'ai toz jors eü a lui guerre
188 C'onques jor ne le poi conquerre.
Puis qu'il se veut a nous offerre,
         Viengne en cel val,
Sanz compaignie et sanz cheval.
192 N'i avra gueres de travail ;
         C'est prés de ci.
Molt avra bien de lui merci
Sathan et li autre nerci ;
196   Més n'apiaut mie
Jhesu, le fil sainte Marie !
Ne li ferïons point d'aïe.
         De ci m'en vois.
200 Or soiez vers moi plus cortois,
Ne me traveillier més des mois,
         Va, Salatin,
Ne en ebrieu ne en latin !

                    Or revient Theophiles a Salatin.

204 Or sui je venuz trop matin ?
         As tu riens fet ?

SALATINS

Je t'ai basti si bien ton plet,
Quanques tes sires t'a mesfet
208   T'amendera,
Et plus forment t'onorera,
Et plus grant seignor te fera
         C'onques ne fus.
212 Tu n'es or pas si du refus
Com tu seras encor du plus.
         Ne t'esmaier :
Va la aval sanz delaier.

SALATIN

184 Théophile, c'est son vrai nom.
Il a joui d'une fameuse renommée
          en ce pays.

LE DIABLE

J'ai toujours été en guerre contre lui
188 sans jamais pouvoir faire sa conquête.
Puisqu'il veut se livrer à nous,
          qu'il vienne en ce vallon,
sans personne et sans cheval.
192 Il ne se fatiguera pas beaucoup :
          c'est près d'ici.
Satan et les autres barbouillés
auront grand'pitié de lui,
196   mais qu'il n'invoque pas
Jésus, le fils de sainte Marie !
Nous lui refuserions toute aide.
          Je m'en vais d'ici.
200 Montrez-vous plus gentil à mon égard,
ne me tourmentez plus pendant des mois,
          oui, Salatin,
ni en hébreu ni en latin.

Théophile revient alors vers Salatin.

204 Suis-je donc venu trop matin ?
          As-tu fait quelque chose ?

SALATIN

J'ai si bien plaidé ta cause
que de toutes les injustices de ton maître
208   Satan te dédommagera,
et te couvrira d'honneurs,
et te rendra plus puissant
          que tu n'as jamais été.
212 Les refus que tu essuies n'ont rien
de comparable aux profits que tu obtiendras.
          Ne t'effraie pas :
descends là-bas sans tarder.

216 Ne t'i covient pas Dieu proier
        Ne reclamer,
Se tu veus ta besoigne amer.
Tu l'as trop trové a amer,
220   Qu'il t'a failli.
Mauvesement as or sailli ;
Bien t'eüst ore mal bailli
        Se ne t'aidaisse.
224 Va t'en, que il t'atendent ; passe
        Grant aleüre.
De Dieu reclamer n'aies cure.

THEOPHILES

Je m'en vois. Diex ne m'i puet nuire
228   Ne riens aidier,
Ne je ne puis a lui plaidier.
            *Ici va Theophiles au deable, si a trop grant paor
            et li Deables li dist :*

Venez avant, passez grant pas ;
Gardez que ne resamblez pas
232 Vilain qui va a offerande.
Que vous veut ne que vous demande
Vostre sires ? Il est molt fiers !

THEOPHILES

Voire, sire. Il fu chanceliers,
236 Si me cuide chacier pain querre.
Or vous vieng proier et requerre
Que vous m'aidiez a cest besoing.

LI DEABLES

Requiers m'en tu ?

THEOPHILES

                Oïl.

216 Tu n'y dois ni prier Dieu
            ni l'invoquer,
  si tu veux favoriser ton affaire.
  Tu l'as trouvé trop rigoureux
220   puisqu'il t'a abandonné.
  Tu es tombé dans un mauvais pas :
  il t'aurait mis fort mal en point
            si je ne t'avais aidé.
224 Va-t'en, car on t'attend ;
            va grand train.
  Ne t'occupe pas d'implorer Dieu.

THÉOPHILE

  Je m'en vais. Dieu ne peut me nuire
228   ni m'aider en rien,
  et moi, je ne puis discuter avec lui.

        *Ici Théophile se rend chez le diable. Il a une
        peur atroce. Le diable lui dit :*

  Avancez, dépêchez-vous ;
  gardez-vous de faire comme
232 le vilain qui porte une offrande.
  Que vous veut et que vous réclame
  votre maître ? Il est bien cruel !

THÉOPHILE

  C'est vrai, sire. Il était chancelier,
236 et voici qu'il prétend me réduire à mendier mon pain.
  Je viens donc vous prier et supplier
  de m'aider en cette nécessité.

LE DIABLE

  Tu m'en fais la prière ?

THÉOPHILE

            Oui.

LI DEABLES

Or joing

240 Tes mains, et si devien mes hon :
Je t'aiderai outre reson.

THEOPHILES

Vez ci que je vous faz hommage,
Més que je raie mon domage,
244 Biaus sire, dés or en avant.

LI DEABLES

Et je te refaz un couvant
Que te ferai si grant seignor
C'on ne te vit onques greignor.
248 Et puis que ainsinques avient,
Saches de voir qu'il te covient
De toi aie lettres pendanz
Bien dites et bien entendanz ;
252 Quar maintes genz m'en ont sorpris,
Por ce que lor lettres n'en pris ;
Por ce les veuil avoir bien dites.

THEOPHILES

Vez les ci : je les ai escrites.

> *Or baille Theophiles les lettres au deable, et li*
> *Deables li commande a ouvrer ainsi :*

256 Theophile, biaus douz amis,
Puis que tu t'es en mes mains mis,
Je te dirai que tu feras.
Ja més povre homme n'ameras.
260 Se povres hom sorpris te proie,
Torne l'oreille, va ta voie.
S'aucuns envers toi s'umelie,
Respon orgueil et felonie.
264 Se povres demande a ta porte,
Si garde qu'aumosne n'en porte.
Douçor, humilitez, pitiez
Et charitez et amistiez,

LE DIABLE

                         Joins donc
240 tes mains, et deviens mon vassal :
je t'aiderai plus que de raison.

THÉOPHILE

Voici, je vous prête hommage,
à condition d'obtenir réparation
244 dorénavant, cher seigneur.

LE DIABLE

Je te promets en retour
de te faire plus grand seigneur
que jamais on ne te vit.
248 Et puisque les choses vont ainsi,
sache bien qu'il me faut
de toi une lettre scellée,
explicite et sans ambiguïté,
252 car maintes personnes m'ont trompé,
faute d'avoir exigé une lettre ;
c'est pourquoi je veux qu'elle soit explicite.

THÉOPHILE

La voici : je l'ai écrite.

*Théophile donne alors la lettre au diable, et
celui-ci lui commande d'agir ainsi :*

256 Théophile, mon très cher ami,
puisque tu t'es remis entre mes mains,
je te dirai ce que tu feras.
Jamais homme pauvre tu n'aimeras ;
260 si un pauvre homme en détresse te prie,
détourne l'oreille, passe ton chemin.
Si quelqu'un s'humilie devant toi,
réponds-lui avec orgueil et cruauté.
264 Si un pauvre frappe à ta porte,
garde-toi qu'il emporte une aumône.
Douceur, humilité, pitié
et charité et amitié,

268 Jeüne fere, penitance,
    Me metent grant duel en la pance.
    Aumosne fere et Dieu proier
    Ce me repuet trop anoier.
272 Dieu amer et chastement vivre,
    Lors me samble serpent et guivre
    Me menjue le cuer el ventre.
    Quant l'en en la meson Dieu entre
276 Por regarder aucun malade,
    Lors ai le cuer si mort et fade
    Qu'il m'est avis que point n'en sente :
    Cil qui fet bien si me tormente.
280 Va t'en, tu seras seneschaus.
    Lai les biens et si fai les maus.
    Ne jugier ja bien en ta vie,
    Que tu feroies grant folie,
284 Et si feroies contre moi.

                    THEOPHILES

    Je ferai ce que fere doi.
    Bien est droiz vostre plesir face,
    Puis que j'en doi ravoir ma grace.

                    Or envoie l'Evesque querre Theophile.

288 Or tost ! lieve sus, Pinceguerre,
    Si me va Theophile querre,
    Se li renderai sa baillie.
    J'avoie fet molt grant folie.
292 Quant je tolue li avoie
    Que c'est li mieudres que je voie :
    Ice puis je bien por voir dire.

                    Or respont Pinceguerre :

    Vous dites voir, biaus trés douz sire.

                    Or parole Pinceguerre a Theophile, et Theo-
                    philes respont :

296 Qui est ceenz ?

268 la pratique du jeûne, la pénitence
me font grand mal à la panse.
Faire l'aumône et prier Dieu
peuvent aussi me causer un grand courroux.
272 Si l'on aime Dieu et vit chastement,
j'ai l'impression qu'un serpent, qu'une vipère
me dévore le cœur au ventre.
Lorsqu'on se rend à l'Hôtel-Dieu
276 pour visiter quelque malade,
j'ai alors au cœur si peu de vie
qu'il me semble perdre le sentiment :
qui fait le bien me met à la torture.
280 Va-t'en, tu seras sénéchal.
Laisse le bien pour faire le mal.
Ne rends jamais de jugements équitables,
car ce serait là une grande folie,
284 et contraire à mes intérêts.

THÉOPHILE

Je ferai ce que je dois faire.
Il est bien juste que j'agisse selon votre plaisir,
car ainsi rentrerai-je en grâce.

L'évêque alors envoie chercher Théophile.

288 Vite ! Debout, Pinceguerre,
va me chercher Théophile,
que je lui rende sa charge.
J'avais commis une grande folie
292 en la lui retirant,
car c'est le meilleur de tous :
cela, vraiment, je puis le dire.

Pinceguerre répond alors :

C'est la vérité, très cher seigneur.

Pinceguerre parle alors à Théophile qui lui répond :

PINCEGUERRE

296 Y a-t-il quelqu'un ?

— Et vous, qui estes ?

— Je sui uns clers.

    — Et je sui prestres.

  — Theophiles, biaus sire chiers,
Or ne soiez vers moi si fiers.
300 Mes sires un pou vous demande,
Si ravrez ja vostre provande,
Vostre baillie toute entiere.
Soiez liez, fetes bele chiere,
304 Si ferez et sens et savoir.

THEOPHILES

Deable i puissent part avoir !
J'eüsse eüe l'eveschié,
Et je l'i mis, si fis pechié.
308 Quant il i fu, s'oi a lui guerre,
Si me cuida chacier pain querre.
Tripot lirot por sa haïne
Et por sa tençon qui ne fine !...
312 G'i irai, s'orrai qu'il dira.

PINCEGUERRE

Quant il vous verra, si rira
Et dira por vous essaier
Le fist. Or vous reveut paier
316 Et serez ami com devant.

THEOPHILES

Or disoient assez souvant

THÉOPHILE

Et vous, qui êtes-vous ?

PINCEGUERRE

Je suis un clerc.

THÉOPHILE

Et moi, un prêtre.

PINCEGUERRE

Théophile, bien cher seigneur,
ne soyez donc pas si cruel envers moi.
300 Monseigneur veut vous entretenir un moment,
et vous retrouverez bientôt votre prébende,
votre charge dans sa totalité.
Soyez content, faites bonne figure,
304 vous ferez preuve d'esprit et de sagesse.

THÉOPHILE

Que les diables s'en mêlent !
J'aurais pu avoir l'évêché,
et je l'y ai mis : quelle faute !
308 Une fois en place, ce fut la guerre entre nous,
et il prétendit m'envoyer mendier mon pain.
Merde pour sa haine
et pour ses querelles sans fin !
312 J'irai entendre sa chanson.

PINCEGUERRE

Quand il vous verra, il sourira
et dira que c'était pour vous mettre à l'épreuve
qu'il le fit. Maintenant il veut vous dédommager
316 et vous serez amis comme devant.

THÉOPHILE

Les chanoines racontaient à mon sujet

Li chanoine de moi granz fables :
Je les rent a toz les deables !

> *Or se lieve l'Evesque contre Theophile et li rent*
> *sa dignité et dist :*

320 Sire, bien puissiez vous venir !

THEOPHILES

Si sui je ! Bien me soi tenir,
Je ne sui pas cheüs par voie !

LI EVESQUES

Biaus sire, de ce que j'avoie
324 Vers vous mespris jel vous ament,
Et si vous rent molt bonement
Vostre baillie. Or la prenez,
Quar preudom estes et senez,
328 Et quanques j'ai si sera vostre.

THEOPHILES

Ci a molt bone patrenostre,
Mieudre assez c'onques més ne dis !
Dés or més vendront dis et dis
332 Li vilain por moi aorer,
Et je les ferai laborer.
Il ne vaut rien qui l'en ne doute.
Cuident il je n'i voie goute ?
336 Je lor serai fel et irous.

LI EVESQUES

Theophile, ou entendez vous ?
Biaus amis, penssez de bien fere.
Vez vous ceenz vostre repere ;
340 Vez ci vostre ostel et le mien.
Noz richeces et nostre bien
Si seront dés or més ensamble.
Bon ami serons, ce me samble.
344 Tout sera vostre et tout ert mien.

toutes sortes d'histoires.
Je les envoie à tous les diables !

L'évêque se lève alors à la rencontre de Théophile et lui rend sa dignité en disant :

320 Seigneur, soyez le bienvenu !

THÉOPHILE

Bien venu je le suis. J'ai su me tenir
et ne suis pas tombé en route.

L'ÉVÊQUE

Cher seigneur, du tort que je vous ai
324 causé je vous fais réparation,
et je vous rends de bonne grâce
votre charge. Prenez-la donc,
car vous êtes un homme pieux et sage,
328 et tout ce que je possède sera à vous.

THÉOPHILE

Voilà une fort plaisante prière,
bien meilleure que celles que j'ai jamais dites !
Désormais, les manants, par dizaines,
332 viendront s'incliner devant moi,
et je leur en ferai voir !
Qui point n'est craint ne vaut rien.
Se figurent-ils que je n'y vois goutte ?
336 Je serai féroce et impitoyable.

L'ÉVÊQUE

Théophile, où avez-vous la tête ?
Cher ami, pensez à faire le bien.
Vous êtes ici chez vous,
340 voici votre demeure et la mienne.
Nos richesses et nos biens
seront désormais confondus.
Nous serons bons amis, je l'espère.
344 Tout sera vôtre, tout sera mien.

THEOPHILES

Par foi, sire, je le vueil bien.

> *Ici va Theophiles a ses compaignons tencier,*
> *premierement a un qui avoit non Pierres :*

Pierres, veus tu oïr novele ?
Or est tornee ta rouele,
348 Or. t'est il cheü ambes as.
Or te tien a ce que tu as,
Qu'a ma baillie as tu failli.
L'evesque m'en a fet bailli,
352 Si ne t'en sai ne gré ne graces.

PIERRES *respont :*

Theophile, sont ce manaces ?
Dés ier priai je mon seignor
Que il vous rendist vostre honor,
356 Et bien estoit droiz et resons.

THEOPHILES

Ci avoit dures faoisons
Quant vous m'aviiez forjugié.
Maugré vostres, or le rai gié.
360 Oublïé aviiez le duel !

PIERRES

Certes, biaus chiers sire, a mon vuel,
Fussiez vous evesques eüs
Quant nostre evesques fu feüs ;
364 Més vous ne le vousistes estre,
Tant doutiiez le roi celestre.

> *Or tence Theophiles a un autre :*

Thomas, Thomas, or te chiet mal
Quant l'en me ra fet seneschal.
368 Or leras tu le regiber
Et le combatre et le riber :
N'avras pïor voisin de moi.

THÉOPHILE

Ma foi, mon seigneur, j'accepte.

> *Ici Théophile va quereller ses compagnons, et
> tout d'abord l'un d'eux qui s'appelait Pierre.*

Pierre, veux-tu que je te dise une nouvelle ?
A cette heure la roue de ta fortune a tourné,
348 et c'est un double as que tu as sorti.
Tiens-t'en donc à ce que tu possèdes,
car ma charge te passe sous le nez.
L'évêque m'en a fait le maître,
352 et je n'ai pas à te rendre la moindre grâce.

PIERRE

Théophile, me menacez-vous ?
Dès hier j'ai moi-même prié monseigneur
de vous rendre votre dignité,
356 car c'était justice et raison.

THÉOPHILE

Quel sale coup ce fut pour moi,
quand vous m'aviez ainsi dépouillé !
Malgré vous, j'ai recouvré ma charge.
360 Vous aviez oublié de me plaindre !

PIERRE

A vrai dire, très cher ami, s'il n'avait tenu qu'à moi,
vous seriez devenu évêque
quand le nôtre est décédé ;
364 mais vous avez refusé de l'être,
tant vous craigniez le Roi céleste.

> *Théophile cherche alors querelle à un autre
> compagnon :*

Thomas, Thomas, ça va mal pour toi,
puisqu'on m'a de nouveau nommé sénéchal.
369 Plus question de regimber,
de contester et de chicaner :
tu n'auras pire voisin que moi.

THOMAS

Theophile, foi que vous doi,
372 Il samble que vous soiez yvres.

THEOPHILES

Or en serai demain delivres,
Maugrez en ait vostre visages.

THOMAS

Par Dieu, vous n'estes pas bien sages :
376 Je vous aim tant et tant vous pris !

THEOPHILES

Thomas, Thomas, ne sui pas pris :
Encor porrai nuire et aidier.

THOMAS

Il samble vous volez plaidier.
380 Theophile, lessiez me en pais !

THEOPHILES

Thomas, Thomas, je que vous fais ?
Encor vous plaindrez bien a tens,
Si com je cuit et com je pens.

*Ici se repent Theophiles, et vient a une chapele
de Nostre Dame et dist :*

384 Hé ! laz, chetis, dolenz, que porrai devenir ?
Terre, comment me pués porter ne soustenir
Quant j'ai Dieu renoié et celui voil tenir
A seignor et a mestre qui toz maus fet venir ?

388 Or ai Dieu renoié, ne puet estre teü ;
Si ai lessié le basme, pris me sui au seü.
De moi a pris la chartre et le brief receü
Maufez, se li rendrai de m'ame le treü.

392 Hé ! Diex, que feras tu de cest chetif dolent
De qui l'ame en ira en enfer le boillant

THOMAS

Théophile, par la foi que je vous dois,
372 on dirait que vous êtes ivre.

THÉOPHILE

Je serai demain débarrassé de vous,
malgré toutes vos grimaces.

THOMAS

Par Dieu, vous n'êtes guère raisonnable :
376 je vous tiens en si grande estime !

THÉOPHILE

Thomas, Thomas, vous ne me tenez pas :
je puis encore faire le mal ou le bien.

THOMAS

On dirait que vous cherchez noise.
380 Théophile, laissez-moi en paix !

THÉOPHILE

Thomas, Thomas, moi, qu'est-ce que je vous fais ?
Vous aurez sous peu le droit de vous plaindre,
à ce que je peux imaginer.

> *Maintenant Théophile se repent, il entre dans*
> *une chapelle consacrée à Notre-Dame et dit :*

384 Hélas ! pauvre malheureux, que pourrai-je devenir ?
Terre, comment peux-tu me porter sans fléchir,
moi qui ai renié Dieu et qui veux tenir
pour maître et seigneur celui par qui tout mal arrive ?

388 Oui, j'ai renié Dieu, on ne peut pas le taire ;
j'ai renoncé au miel et j'ai goûté au fiel.
De mes mains le maudit a pris la charte et reçu la
                                                    [lettre,
et je dois lui payer le tribut de mon âme.

392 Hé ! Dieu, que feras-tu de ce pauvre misérable
dont l'âme descendra dans le bouillant enfer

Et li maufez l'iront a leur piez defoulant ?
Ahi ! terre, quar œvre, si me va engloutant !

396 Sire Diex, que fera cist dolenz esbahis
Qui de Dieu et du monde est hüez et haïs,
Et des maufez d'enfer engingniez et trahis ?
Dont sui je de trestoz chaciez et envaïs ?

400 Hé ! las, com j'ai esté plains de grant nonsavoir
Quant j'ai Dieu renoié por un petit d'avoir !
Les richeces du monde que je voloie avoir
M'ont geté en tel leu dont ne me puis ravoir.

404 Sathan, plus de set anz ai tenu ton sentier ;
Maus chans m'ont fet chanter li vin de mon chantier ;
Molt felonesse rente m'en rendront mi rentier ;
Ma char charpenteront li felon charpentier.

408 Ame doit l'en amer ; m'ame n'ert pas amee,
N'os demander la Dame qu'ele ne soit dampnée.
Trop a male semence en semoisons semee
De qui l'ame sera en enfer sorsemee [1].

412 Ha ! las, com fol bailli et com fole baillie !
Or sui je mal baillis et m'ame mal baillie.
S'or m'osoie baillier a la douce baillie,
G'i seroie bailliez et m'ame ja baillie.

416 Ors sui, et ordoiez doit aler en ordure ;
Ordement ai ouvré, ce set Cil qui or dure
Et qui toz jors durra, s'en avrai la mort dure.
Maufez, com m'avez mors de mauvese morsure !

420 Or n'ai je remanance ne en ciel ne en terre.
Ha ! las, ou est li lieus qui me puisse sofferre ?
Enfers ne me plest pas ou je me voil offerre ;
Paradis n'est pas miens, que j'ai au Seignor guerre.

424 Je n'os Dieu reclamer ne ses sainz ne ses saintes,
Las, que j'ai fet hommage au deable mains jointes.
Li Maufez en a lettres de mon anel empraintes.
Richece, mar te vi ! J'en avrai dolors maintes.

---

1. *Dans le manuscrit A,* forsemee.

et que les démons fouleront de leurs pieds ?
Ah ! Terre, ouvre-toi donc afin de m'engloutir !

396 Seigneur Dieu, que fera ce triste insensé
qui de Dieu et des hommes est hué et haï,
et des démons d'enfer trompé et trahi ?
Suis-je donc de partout chassé et assailli ?

400 Hélas ! comme j'étais au comble de l'ignorance
quand j'ai renié Dieu pour un peu de monnaie !
Les trésors de ce monde que je voulais avoir
m'ont jeté en un lieu dont je ne puis sortir.

404 Satan, plus de sept ans j'ai suivi ton chemin ;
les vins de mon cellier m'ont inspiré de mauvais
                                        [chants ;
mes débiteurs me paieront une cruelle rente ;
les cruels charpentiers tailladeront ma chair.

408 On doit aimer son âme ; je n'aimais pas la mienne ;
je n'ose prier la Dame qu'elle ne soit pas damnée.
Qui aux semailles a semé de mauvaises semences
moissonnera pour son âme l'éternelle pourriture.

412 Hélas ! fou que je suis, quelle folle conduite !
Me voici mal loti, et mon âme tout autant.
Si j'osais me confier à la douce puissance,
elle recueillerait et mon corps et mon âme.

416 Ordure je suis et l'ordure doit finir en ordure ;
j'ai œuvré dans l'ordure, comme le sait le roi
qui toujours règnera : la mort m'en sera dure.
Démons, de quelle mauvaise morsure m'avez-vous
                                        [mordu !

420 Interdit de séjour au ciel et sur la terre,
hélas ! où est l'endroit qui voudrait m'accueillir ?
L'enfer, auquel je me suis donné, ne me plaît pas ;
le Paradis m'est fermé : je suis en guerre avec Dieu.

424 Je n'ose invoquer Dieu, ni ses saints, ni ses saintes,
hélas ! car j'ai rendu hommage au diable mains jointes.
Le Maudit en tient lettre, de mon anneau scellée.
Richesse, ô mon malheur ! J'en aurai force souffrances.

428 Je n'os Dieu ne ses saintes ne ses sainz reclamer,
    Ne la tres douce Dame que chacuns doit amer ;
    Més por ce qu'en li n'a felonie n'amer,
    Se je li cri merci, nus ne m'en doit blasmer.

> *C'est la proiere que Theophiles dist devant Nostre Dame.*

432 Sainte roïne bele,
    Glorïeuse pucele,
    Dame de grace plaine
    Par qui toz biens revele,
    Qu'au besoing vous apele,
    Delivrez est de paine ;
438 Qu'a vous son cuer amaine,
    Ou pardurable raine
    Avra joie novele.
    Arousable fontaine
    Et delitable et saine,
    A ton Filz me rapele !

444 En vostre douz servise
    Fu ja m'entente mise,
    Més trop tost fui temptez.
    Par celui qui atise
    Le mal et le bien brise
    Sui trop fort enchantez.
450 Car me desenchantez,
    Que vostre volentez
    Est plaine de franchise,
    Ou de granz orfentez
    Sera mes cors rentez
    Devant la fort justice.

456 Dame sainte Marie,
    Mon corage varie
    Ainsi que il te serve,
    Ou ja més n'ert tarie
    Ma dolors ne garie,
    Ains sera m'ame serve.
462 Ci avra dure verve

428 Je n'ose invoquer Dieu, ni ses saints, ni ses saintes,
ni la très douce Dame que chacun doit aimer ;
mais puisqu'en elle il n'est ni cruauté ni fiel,
si j'implore son pardon, nul ne doit m'en blâmer.

*Voici la prière que Théophile adressa à Notre-
Dame :*

432 Sainte et belle reine,
Vierge glorieuse,
Dame pleine de grâce
dont procèdent tous les biens,
qui dans le besoin vous appelle
est délivré de sa peine ;
438 qui vous confie son cœur,
au royaume éternel
goûtera joie sans bornes.
Fontaine jaillissante,
délicieuse et pure,
ramène-moi à ton Fils !

444 A votre doux service
je m'appliquais jadis,
mais je fus bientôt tenté.
Par celui qui attise
le mal et ruine le bien,
je suis ensorcelé.
450 Désensorcelez-moi,
car votre volonté
est prodigue en bienfaits,
sinon d'une grande misère
sera doté mon corps
par l'implacable justice.

456 Sainte Marie, noble Dame,
donne-moi un cœur neuf
qui soit à ton service,
sinon jamais ma douleur
ne sera tarie ni guérie.
Mon âme en esclavage,
462 quelle triste histoire,

S'ainz que la mors m'enerve [1]
En vous ne se marie
M'ame qui vous enterve.
Souffrez li cors deserve
L'ame ne soit perie.

468 Dame de charité
Qui par humilité
Portas nostre salu,
Qui toz nous a geté
De duel et de vilté
Et d'enferne palu,
474 Dame, je te salu !
Ton salu m'a valu,
Jel sai de verité.
Gar qu'avoec Tentalu
En enfer le jalu
Ne praingne m'erité !

480 En enfer ert offerte,
Dont la porte est ouverte,
M'ame par mon outrage :
Ci avra dure perte
Et grant folie aperte
Se la praing herbregage.
486 Dame, or te faz hommage :
Torne ton douz visage ;
Por ma dure deserte,
Envers [2] ton Filz le sage,
Ne souffrir que mi gage
Voisent a tel poverte !

492 Si comme en la verriere
Entre et reva arriere
Li solaus que n'entame,
Ainsinc fus virge entiere
Quant Diex, qui es ciex iere,
Fist de toi mere et dame.

1. *Dans le manuscrit A*, n'enerve.
2. *Dans le manuscrit A*, El non.

si, avant que la mort m'abatte,
mon âme ne s'unit
à vous qu'elle désire
Souffrez que le corps mérite
le salut de l'âme.

468 Dame de charité
qui par humilité
portas notre salut
qui nous a tous tirés
de la dure abjection
et de l'infernale fange,
474 Dame, je te salue !
Ton *Salut* m'a aidé,
j'en ai la certitude.
Empêche qu'avec Tantale,
dans l'avide enfer,
je ne sois relégué !

480 A l'enfer, porte ouverte,
est destinée mon âme
pour prix de mon orgueil :
quelle terrible perte,
quelle évidente folie,
si j'en fais mon logis !
486 Dame, je te rends hommage :
tourne vers moi ton doux visage.
Si je l'ai mérité par mes torts
envers ton sage Fils,
si j'ai donné des gages,
ne souffre pas cette ruine !

492 Comme en une verrière
entre et sort la lumière
du soleil sans l'entamer,
ainsi tu restas vierge
quand Dieu qui est aux cieux
te rendit mère et dame.

498 Ha ! Resplendissant jame,
Tendre et piteuse fame,
Car entent ma proiere
Que mon vil cors et m'ame
De pardurable flame
Rapelaisses arriere.

504 Roïne debonaire,
Les iex du cuer m'esclaire
Et l'obscurté m'esface,
Si qu'a toi puisse plaire
Et ta volenté faire :
Car m'en done la grace.
510 Trop ai eü espace
D'estre en obscure trace ;
Encor m'i cuident traire
Li serf de pute estrace ;
Dame, ja toi ne place
Qu'il facent tel contraire !

516 En vilté, en ordure,
En vie trop obscure
Ai esté lonc termine :
Roïne nete et pure,
Quar me pren en ta cure
Et si me medecine.
522 Par ta vertu devine
Qu'adés est enterine,
Fai dedenz mon cuer luire
La clarté pure et fine
Et les iex m'enlumine,
Que ne m'en voi conduire.

528 Li proieres qui proie
M'a ja mis en sa proie :
Pris serai et preez,
Trop asprement m'asproie.
Dame, ton chier Filz proie
Que soie despreez ;
534 Dame, car leur veez,
Qui mes mesfez veez,

498 Joyau resplendissant,
    femme compatissante,
    écoute donc ma prière :
    puisses-tu retirer
    de la flamme éternelle
    mon corps vil et mon âme !

504 Reine noble et généreuse,
    éclaire-moi les yeux du cœur,
    dissipe mes ténèbres,
    pour que je puisse te plaire
    et faire ta volonté :
    accorde-moi cette grâce.
510 J'ai perdu trop de temps
    à suivre de sombres traces
    où tiennent à m'attirer
    les serfs de sale race.
    Ne permets pas qu'ils fassent,
    Dame, pareil méfait !

516 Dans la crasse et l'ordure,
    dans de sombres ténèbres
    j'ai trop longtemps vécu :
    Reine pure et sans tache,
    prodigue-moi tes soins
    afin de me guérir.
    Par ta vertu divine
    qui jamais ne décline,
    fais luire en mon cœur
    l'admirable clarté,
    rends la vue à mes yeux
    qui ne peuvent me conduire.

528 Le sombre oiseau de proie
    a fait de moi sa proie :
    je vais être enlevé,
    il resserre son étreinte.
    Dame, prie ton cher Fils
    que je sois délivré ;
534 Dame, empêchez-les
    (vous voyez mes péchés)

Que n'avoie a leur voie.
Vous qui lasus seez,
538 M'ame leur deveez
Que nus d'aus ne la voie.

Ici parole Nostre Dame a Theophile et dist :

Qui es tu, va, qui vas par ci ?

THEOPHILES

Ha ! Dame, aiez de moi merci !
542   C'est li chetis
Theophile, li entrepris,
Que maufé ont loié et pris.
          Or vieng proier
546 A vous, Dame, et merci crïer,
Que ne gart l'eure qu'asproier
          Me viengne cil
Qui m'a mis a si grant escil.
550 Tu me tenis ja por ton fil,
          Roïne bele.

NOSTRE DAME *parole :*

Je n'ai cure de ta favele.
Va t'en, is fors de ma chapele !

THEOPHILES *parole :*

554   Dame, je n'ose.
Flors d'aiglentier et lis et rose,
En qui li Filz Dieu se repose,
          Que ferai gié ?
558 Malement me sent engagié
Envers le Maufé enragié.
          Ne sai que fere :
Ja més ne finerai de brere !
562 Virge, pucele debonere,
          Dame honoree,
Bien sera m'ame devoree,
Qu'en enfer fera[1] demoree

1. *Dans le manuscrit A*, sera.

de me tirer à eux.
Vous qui siégez là-haut,
538 refusez-leur mon âme,
cachez-la à leurs yeux.

Ici Notre-Dame parle à Théophile et lui dit :

Qui es-tu, hé ! toi, qui vas par ici ?

THÉOPHILE

Ah ! Dame, ayez pitié de moi !
542   C'est moi, le pauvre
Théophile, le mal en point,
que les démons ont pris et lié.
    Je vous supplie,
546 Dame, et vous crie miséricorde,
car j'attends à tout instant
        d'être broyé
par celui qui a causé ma ruine.
550 Tu me tins jadis pour ton fils,
        ô belle Reine.

NOTRE-DAME *parle :*

Je me moque de tes discours.
Va-t'en, sors de ma chapelle !

THÉOPHILE *parle :*

558   Dame, je n'ose pas.
Fleur d'églantier, fleur de lis, rose,
en qui le Fils de Dieu repose,
        ah ! que ferai-je ?
558 Je me sens lié par les mauvais gages
que j'ai donnés au diable fou de rage.
    Je ne sais que faire :
mes pleurs ne prendront jamais fin.
562 Ô pure et généreuse Vierge,
        Dame honorée,
mon âme sera mise en pièces
durant son infernal séjour

566   Avoec Cahu.

NOSTRE DAME

Theophile, je t'ai seü
Ça en arriere a moi eü.
    Saches de voir,
570 Ta chartre te ferai ravoir
Que tu baillas par nonsavoir.
    Je la vois querre.
            Ici va Nostre Dame por la chartre Theophile.

Sathan, Sathan, es tu en serre ?
574 S'es or venuz en ceste terre
Por commencier a mon clerc guerre,
    Mar le penssas.
Rent la chartre que du clerc as ;
578 Quar tu as fet trop vilain cas.

SATHAN *parole :*

    Je la vous rande ?
J'aim miex assez que l'en me pende !
Ja li rendi je sa provande
582 Et il me fist de lui offrande
    Sanz demorance,
De cors et d'ame et de sustance.

NOSTRE DAME

Et je te foulerai la pance !
            Ici aporte Nostre Dame la chartre a Theophile.

586 Amis, ta chartre te raport.
Arivez fusses a mal port
Ou il n'a solaz ne deport.
    A moi entent :
590 Va a l'evesque et plus n'atent ;
De la chartre, li fai present,
    Et qu'il la lise
Devant le pueple en sainte yglise,
594 Que bone gent n'en soit sorprise

566   avec Cahu.

NOTRE-DAME

Théophile, je t'ai connu
jadis quand tu étais des miens.
             Sache-le bien,
570   je te restituerai ta charte
que tu livras par ignorance.
             Je vais la chercher.

> *Ici Notre-Dame va à la recherche de la charte de Théophile.*

Satan, Satan, t'es-tu donc caché ?
574   Tu es pourtant venu sur terre
pour faire la guerre à mon clerc :
             tu as eu tort.
Rends la charte que le clerc t'a donnée,
578   car tu as commis une infamie.

SATAN *parle :*

      Moi, vous la rendre ?
J'aime encore mieux qu'on me pende !
Je lui ai rendu sa charge
582   et lui, il se donna à moi
             sur-le-champ,
de corps et d'âme, de tout son être.

NOTRE-DAME

Moi, je vais te piétiner la panse.

> *Ici Notre-Dame rapporte la charte à Théophile.*

586   Ami, je te rapporte ta charte.
Tu aurais jeté l'ancre en un port
où il n'est ni fête ni joie.
             Ecoute-moi :
590   va voir l'évêque sans tarder ;
de la charte fais-lui présent
             et qu'il la lise
devant le peuple en sainte église,
594   pour que les bons ne soient plus séduits

Par tel barate.
Trop aime avoir qui si l'achate :
L'ame en est et honteuse et mate.

THEOPHILE

598   Volentiers, Dame !
Bien fusse mors de cors et d'ame ;
Sa paine part qui ainsi same,
        Ce voi je bien.

> *Ici vient Theophiles a l'evesque, et li baille sa*
> *chartre, et dist :*

602 Sire, oiez moi, por Dieu merci !
Quoi que j'aie fet, or sui ci.
        Par tens savroiz
De quoi j'ai molt esté destroiz.
606 Povres et nus, maigres et froiz
        Fui par defaute.
Anemis, qui les bons assaute,
Ot fet a m'ame geter faute,
610   Dont mors estoie.
La Dame qui les siens avoie
M'a desvoié de male voie
        Ou avoiez
614 Estoie et si forvoiez
Qu'en enfer fusse convoiez
        Par le deable,
Que Dieu, le pere esperitable,
618 Et toute ouvraingne charitable
        Lessier me fist.
Ma chartre en ot de quanqu'il dist ;
Seelé fu quanqu'il requist.
622   Molt me greva,
Par poi li cuers ne me creva.
La Virge la me raporta
        Qu'a Dieu est mere,
626 La qui bonté est pure et clere ;
Si vous vueil proier, com mon pere,
        Qu'el soit leüe,
Qu'autre gent n'en soit deceüe

   par semblable ruse.
C'est trop aimer l'argent de l'acheter si cher :
l'âme en retire honte et perdition.

THÉOPHILE

598   Dame, volontiers !
J'allais périr corps et âme.
On perd sa peine à de telles semailles,
   je le vois bien.

   Ici Théophile vient voir l'évêque, lui remet sa
   charte et lui dit :

602 Seigneur, pour l'amour de Dieu, écoutez-moi !
Quoi que j'aie fait, me voici devant vous.
   Bientôt vous connaîtrez
les raisons de ma profonde détresse.
606 J'étais pauvre et nu, maigre et transi
   par totale disette.
L'Ennemi, qui attaque les bons,
fit jouer à mon âme un coup
610   qui devait être ma mort.
La Dame qui guide les siens
m'a détourné du mauvais chemin
   où je m'étais
614 engagé et si fourvoyé
que le diable m'aurait conduit
   jusqu'en enfer,
car il me fit abandonner
618 Dieu, notre Père céleste,
   et toute œuvre charitable.
Il eut en ma charte tout ce qu'il dicta
et, scellé de mon sceau, tout ce qu'il voulut.
622   J'en fus atterré,
peu s'en fallut que mon cœur n'éclatât.
La Vierge me la rapporta,
   elle, la mère de Dieu,
626 dont la bonté brille d'un pur éclat.
Je viens donc vous prier, comme un père,
   d'en faire la lecture,
pour empêcher que d'autres n'y soient pris,

630 Qui n'ont encore aperceüe
        Tel tricherie.

                    Ici list l'Evesque la chartre et dist :

Oiez, por Dieu le Filz Marie,
Bone gent, si orrez la vie
634   De Theophile
Qui Anemis servi de guile.
Ausi voir comme est Evangile
        Est ceste chose ;
638 Si vous doit bien estre desclose.
Or escoutez que vous propose.

« A toz cels qui verront ceste lettre commune
Fet Sathan a savoir que ja torna fortune,
642 Que Theophiles ot a l'evesque rancune,
Ne li lessa l'evesque seignorie nesune.

« Il fu desesperez quant l'en li fist l'outrage ;
A Salatin s'en vint qui ot el cors la rage,
646 Et dist qu'il li feroit molt volentiers hommage
Se rendre li pooit s'onor et son domage.

« Je le guerroiai tant com mena sainte vie,
C'onques ne poi avoir desor lui seignorie :
650 Quant il me vint requerre, j'oi de lui grant envie ;
Et lors me fist hommage, si rot sa seignorie.

« De l'anel de son doit seela ceste lettre,
De son sanc les escrist, autre enque n'i fist metre,
654 Ains que je me vousisse de lui point entremetre
Ne que je le feïsse en dignité remetre. »

            Issi ouvra icil preudom.
            Délivré l'a tout a bandon
658   La Dieu ancele.
            Marie, la virge pucele,
            Delivré l'a de tel querele.
            Chantons tuit por ceste novele.
662   Or levez sus,
            Disons : « Te Deum laudamus ».

            Explicit le miracle de Theophile

630 faute d'avoir décelé
              pareille tromperie.

Ici l'évêque lit la charte et dit :

Écoutez, par Dieu le Fils de Marie,
bonnes gens, vous allez entendre
634   la vie de Théophile
à qui l'Ennemi joua un mauvais tour.
Cette histoire est aussi véritable
              que l'Évangile ;
638 aussi doit-on vous la révéler.
Écoutez donc ce que je vous expose.

« A tous ceux qui verront cette lettre publique,
Satan fait savoir que Théophile, sa fortune
642 ayant tourné, se querella avec l'évêque
qui ne lui laissa pas une de ses charges.

Il fut désespéré qu'on lui fît cet outrage ;
il vint voir Salatin, le cœur plein de rage,
646 et lui dit qu'à Satan il rendrait hommage
s'il lui rendait son honneur et réparait son dommage.

Je lui fis la guerre tant qu'il mena sainte vie,
sans jamais pouvoir sur lui prendre d'empire :
650 quand il vint me prier, j'eus de lui grande envie ;
il me rendit hommage et rentra dans sa charge.

De l'anneau de son doigt il scella cette lettre,
l'écrivit de son sang sans se servir d'autre encre,
654 avant que je voulusse m'occuper de lui
et lui restituer toutes ses dignités. »

Voilà l'histoire d'un homme de bien
que délivra la généreuse
658   servante de Dieu.
Marie, la chaste Vierge,
l'a délivré de cette affaire.
Chantons tous la bonne nouvelle.
662   Levez-vous donc,
et disons : « Te Deum laudamus ».

Fin du Miracle de Théophile.

NOTES

Les chiffres renvoient aux numéros des vers.

5. *vaillant un sac.* « quelque chose qui vaille un sac », « la valeur d'un sac ». Ce tour stéréotypé introduit des compléments différents. *Sac*, amené par la rime, est employé quand le malheureux, ruiné, ne peut plus s'habiller que d'un sac. Voir *La Griesche d'été*, vers 23-24 : *Qui plus en set s'afuble sac / De la griesche*, « le plus habile finit par s'habiller d'un sac : voilà où conduit le guignon ».

Ce vers se retrouve sous une forme voisine dans *La Griesche d'hiver*, vers 41 : *Il ne me remaint riens sous le ciel.*

6-7. *Eschac... maté en l'angle.* Il s'agit d'une métaphore empruntée au jeu d'échecs : le joueur malheureux est mis échec et mat dans un angle de l'échiquier. Il semble que Rutebeuf ait développé deux vers de Gautier de Coinci : *Ha ! las, fait il, or sui j'en l'angle, / Or sui je maz, or sui je pris* (vers 136-137).

8. *tout sangle.* « seul », dépouillé d'amis et de biens. C'est un des thèmes récurrents de la poésie de Rutebeuf.

10. *ma robe.* « mes vêtements ». C'est en gros notre costume. Très habillée, la *robe* comportait trois pièces ou *garnemenz* : la *cote*, le *surcot*, le *mantel* ; ou deux, la *cote* et le *mantel* ; moins habillée, elle ne comportait que la *cote* et le *surcot*. Le mot pouvait toutefois avoir deux autres sens, désignant en bloc toutes les pièces du vêtement (chemise, *bliaut*, pelice...) ou le plus habillé des *garnemenz*, le *mantel* (pensons à nos robes de juge, d'avocat, de professeur ou de prêtre). Au XVe siècle, la *robe* ne fut plus qu'un seul vêtement plus ou moins long.

11. *mesnie.* Ensemble des familiers et des serviteurs ; s'oppose au *lignage*, ensemble des ascendants et descendants.

14. *les covient trere.* Nous avons gardé la graphie du manuscrit A et donné à *ou* du vers 15 le sens de « dans la mesure où », « puisque ». E. Faral et J. Bastin ont lu *l'escovient trere* et compris : « il convient à Dieu de se rendre ailleurs, ou bien il ne veut pas m'entendre ». *Trere*, traire, très fréquent au Moyen Age avec le sens de « tirer, tirer vers,

se diriger », a connu une notable restriction sémantique, puisque ne signifiant plus que « tirer le lait d'une vache, d'une brebis... ». Sans doute a-t-il subi le contrecoup de la collision homonymique entre *moudre* « moudre » (de *molere*) et *moudre* « traire » (de *mulgere*) : ce dernier, éliminé, fut remplacé dans ses emplois par *traire* qui, dans son sens général, céda la place à *tirer*. Sur *traire* et *tirer*, voir Pierre Guiraud, *Structures étymologiques du lexique français*, Paris, Larousse, 1967, pp. 171-177.

15. *fet l'oreille sorde*. C'est notre expression *faire la sourde oreille*, dont l'ordre des mots s'est figé dans une locution toute faite.

16. *falorde*. Ce mot, qui signifie « discours plaisant et vain », « plaisanterie », « moquerie », est employé par Gautier de Coinci, dans *Du Clerc qui fame espousa et puis la lessa* (éd. E. v. Kraemer, 1950, vers 47-53), au milieu d'un ensemble de termes qui en indiquent la tonalité :

> Tant par sont plain de grant folage
> C'une risee, un rigolage,
> Une grant truffe, une falorde,
> Une fastrasie, une bourde
> Oient plus volentiers, par m'ame,
> Que de Dieu ne de Nostre Dame
> Un biau sermon n'un biau traitié.

17. *Et*, adversatif, à prendre au sens de « Eh ! bien, moi... ».

25-26. E. Faral et J. Bastin ont ponctué différemment (mettant une virgule après *batre*) et compris : « Celui qui pourrait le tenir entre ses mains et le rouer de coups, pourrait estimer, à son retour chez lui (*a la retornee*), avoir fait une bonne journée. »

29. *trere ne lancier*. Les deux verbes ont un sens différent : *trere*, c'est « tirer à l'arc », *lancier*, c'est lancer des projectiles divers. De là notre traduction.

34. *chetis*. C'est notre *chétif*, dont le sens premier, sensible encore dans ce vers, était « captif, prisonnier » ; de là, l'acception de « malheureux », « misérable » ; enfin, par restriction sémantique, « de faible constitution, d'apparence débile ».

35. *De Povreté et de Soufrete*. Nous avons considéré ces deux mots comme des allégories, la Pauvreté étant souvent présentée comme une puissance ennemie, une sorte de chasseresse qui traque les malheureux, comme dans le vers de Villon : *Povreté tous nous suit et trace* (vers 277 du *Testament*).

36. *Or est bien ma vïele frete*. « Ma vielle est bien brisée », c'est-à-dire : « Tout est fini pour moi. » Il existait une autre expression, *mettre la viele sous le banc*, « renoncer à ses activités » : l'expression, empruntée au métier de jongleur, impliquait une cessation d'activité qui n'est pas sans laisser de regrets ; cf. Mario Roques dans *Romania*, t. 58, 1932, p. 83, et t. 59, 1933, p. 609.

La vielle était un instrument qui accompagnait la récitation poétique et la déclamation modulée. « La vielle est un peu plus grande qu'un violon moderne, sa caisse est allongée, peu échancrée, sa table est percée d'ouïes en C, son manche se termine par un chevillier plat ; elle est montée de cinq cordes dont une hors manche... Elle paraît être l'ancêtre à la fois de la viole et de la lyre à bras du XVIe siècle. Son archet courbe favorise le jeu en double ou triple corde » (J. Ricci).

La même idée est exprimée par une autre image dans *Le Mariage Rutebeuf*, vers 71-72 : *Mes pos est brisiez et quassez / Et j'ai toz mes bons jors passez.*

37-41. Cf. *Mariage Rutebeuf*, vers 120-123 : *L'en se saine parmi la vile / De mes merveilles ; / On les doit bien conter aus veilles : / Il n'i a nules lor pareilles...*, « On se signe dans toute la ville au récit de mon effroyable misère, et on a raison de la raconter aux veillées, car elle est sans doute unique en son genre. »

38. *rïote*, « querelle, dispute, plaisanterie ». Il existe un texte intitulé *La Riote du monde*, édité récemment par Sylvie Lécuyer, Paris, 1985. Voir aussi, *Chansons et dits artésiens*, éd. R. Berger, Arras, 1981, XIII, strophe I, vers 5-8 : *... N'a gent si nobile / Con d'Arras, ne de tel valeur, / Mais li ruihote / A no cité morte.*

Salatin. Selon Gilbert Dahan, *Salatin du Miracle de Théophile de Rutebeuf*, dans *Le Moyen Age*, t. 83, 1977, pp. 445-458 : « ... pour le spectateur médiéval, il devait réunir en lui deux ensembles de résonance : juif, à cause du poids de la légende, et sarrasin, à cause d'autres données traditionnelles et peut-être de l'actualité... Ce qui importe en réalité, c'est que Salatin est pour le spectateur médiéval une image de l'*Autre* : non-chrétien et sorcier ».

48. *C'on m'apeloit. C'*, qui a une valeur causale, répond à la question des vers 44-46.

54. *Celui c'or*, celui qui maintenant.

55. *me fet lessier si monde.* Ce tour périphrastique signifie « me laisse ». Cf. A. Tobler, *Vermichte Beiträge zur französischen grammatik*, Leipzig, 1894, t. I, § 3, p. 19. *Monde* a le sens de notre « nettoyé » sans la tonalité familière.

60. *m'onor. Honorem* qui, en latin, pouvait signifier « honneur », « honneurs rendus à un mort ou à une divinité », « charge, magistrature », « honoraires d'un médecin », « récompense », a donné des formes comme *onor*, *enor* (avec dissimilation du premier *o*), *ennor* (où le redoublement de *n* marque la nasalisation de la voyelle initiale), *anor* (après l'ouverture de la voyelle nasalisée). Le mot est assez délicat à définir. A l'époque carolingienne, il est employé pour les fonctions publiques et les abbatias laïques avec les bénéfices qui en constituaient la dotation. Cette tradition se maintint en Allemagne jusqu'au XIIe siècle. En France, à l'époque de *La Chanson de Roland* (fin du XIe-XIIe siècle), c'est souvent un synonyme de fief pour les tenures d'une certaine importance. Dans *Le Roman*

de Rou, les barons ont des *enors*, les seigneurs des *fiefs*, les vavasseurs des *rentes*. Dans *Le Miracle de Théophile*, *onor* désigne une charge qui implique certains avantages matériels et entraîne de la considération sociale. Voir notre *Cours sur la Chanson de Roland*, Paris, CDU, 1972, pp. 158-160.

61. *Li perdres*. Infinitif substantivé : « le fait de perdre », « la perte ».

62. *vous dites que sages*. « Vous parlez en homme sage. » Selon l'interprétation traditionnelle, il faut comprendre : « Vous dites ce que dit un homme sage » ; mais, pour Pol Jonas dans sa thèse sur les systèmes comparatifs, *que* serait une conjonction signifiant « comme ». Voir Christiane Marchello-Nizia, *Histoire de la langue française aux XIVe et XVe siècles*, Paris, Bordas, 1979, p. 162.

65. *en autrui dangier*. Le mot a le sens ancien de « domination », « domination du maître » (du latin *dominiarium*, dérivé de *dominus*) ; de là le sens moderne de « péril », « difficultés ». Sur l'évolution du mot, voir l'art. de Shigemi Sasaki, *Dongier. Mutation de la poésie française au Moyen Age*, dans *Études de langue et littérature françaises*, Tokyo, 1974, pp. 1-30.
Selon l'usage ancien, le pronom *autrui*, complément du nom *dangier*, est placé devant le déterminé.

67. *Trop i covient gros mos oïr*. A rapprocher des vers 21-22 de *La Paix Rutebeuf* : *S'il vient a cort, chacuns l'en chace / Par groz moz ou par vitupires*.

71. *Par pou que li cuers ne m'en crieve*. Cf. Gautier de Coinci, vers 201 : *Por un petit d'ire ne crief*.

74. *Comme hom qui est de si grant pris*. Cf. Gautier de Coinci, vers 138 : *Haus clers estoie de haut pris*.

81-89. Pour nous, il s'agit d'une longue phrase interrogative de neuf vers, dont chaque groupe de trois vers est dans la dépendance plus ou moins lâche du verbe initial *Voudriiez vous*. Pour Grace Frank, *éd. citée*, p. 28 : « On pourrait aussi comprendre 87-89 comme le résultat de la condition exprimée aux vers 81-86, en traduisant *Et* (87) par *Eh bien ;* alors on mettrait un point d'interrogation (ou une virgule) après 86 et un point après 89. »
Voir Gautier de Coinci, vers 375-378 : *S'il renoie sanz demorance / Et son baptesme et sa creance, / Dieu et sa mere, sainz et saintes, / Encor li donrai honors maintes*.

84-85. *Et si devenissiez, mains jointes, / Hom a celui...* Il s'agit du geste de l'hommage féodal, qui comportait deux éléments : un geste, l'*immixtio manuum*, le vassal plaçant ses mains dans celles du seigneur (ainsi, dans *La Chanson de Roland*, Marsile fait-il dire à Charlemagne *qu'il devendrat jointes ses mains tis hom / E tute Espaigne tendrat par vostre dun*, vers 223-224) et une déclaration : *je deviens votre homme*. Le plus important est le geste, témoin les expressions *manus alicui dare, in manus alicujus venire, aliquem per manus accipere*, *alicujus manibus junctis fore feodalem hominem.* Voir F. L. Ganshof, *Qu'est-ce que la féodalité ?* 4ᵉ éd., Bruxelles, 1968, et notre *Cours sur la Chanson de Roland*, Paris, CDU, 1972, p. 156.

Cette scène est représentée dans le tympan du portail latéral nord de Notre-Dame de Paris.

86. *Qui* dépend de *ce* du vers 85 : « qui ferait ce qui vous rendrait votre dignité ».

95. *il*, pluriel collectif, à valeur de « on ».

101. Rutebeuf a utilisé, à partir du vers 101 jusqu'au vers 229 (et ensuite du vers 540 au vers 639, et du vers 656 au vers 663) la forme métrique qui consiste en un couple d'octosyllabes rimant entre eux, suivi d'un quadrisyllabe qui, pour le sens, se rattache à l'octosyllabe qui précède, mais qui, pour la rime, annonce les octosyllabes qui suivent.

Il s'agit de la « forme Richeut », du nom du poème *Le Dit de Richeut*, qui, composé en 1152, a le premier appliqué le principe de l'alternance de vers octosyllabiques et de vers courts. Rutebeuf a donné à cette forme une configuration stable, et l'a employée dans neuf autres pièces : *Le Pharisien; La Complainte de Guillaume de Saint-Amour; La Griesche d'hiver; La Griesche d'été; Renart le Bétourné; Le Mariage Rutebeuf; La Complainte Rutebeuf; Le Dit de l'Herberie* (partie en vers) et *L'Ave Maria*. Cf. L. E. Kastner, *A Neglected French Poetic Form*, dans *Zeitschrift für fransösische Sprache und Literatur*, t. 26, pp. 288-297, et W. Kellermann, *Ein Sprachspiel des französischen Mittelalters : die Resveries*, dans *Mélanges... Rita Lejeune*, Gembloux, Duculot, 1969, pp. 1331-1346. Kastner a attribué à cette forme une origine médio-latine : on en a un fort bel exemple dans le *Laborintus* d'Évrard l'Allemand.

Le manuscrit B.N. fr. 837 contient presque tous les exemples connus de la forme Richeut : outre les textes cités de Rutebeuf, on y trouve *De Piramus et de Tisbé* (folio 95), *Dan Denier* (folio 166 v°), les *Resveries* (folio 174), le *Privilège aux Bretons* (folio 190), *Salus d'Amors* (folio 203 v°), *Des Cornetes* (folio 327).

102. *li cors*, « ma personne » ; *dessenir*, formé sur *sen*, « perdre le sens ».

105. *saint Nicholas*. Est-ce une allusion au *Jeu de saint Nicolas* de Jean Bodel qui a contribué à créer le théâtre en langue française au début du XIIIᵉ siècle, et dont Rutebeuf a repris les variations de rythmes et de mètres ? De même, le nom de *Pinceguerre* n'est pas sans rappeler celui d'un des trois voleurs de Jean Bodel, *Pincedé*.

En tout cas, saint Nicolas, évêque de Myre en Lycie (290-343), a été très populaire en Occident, surtout après la translation de ses reliques en 1087 de Myre à Bari. Avec les croisades, son culte se répandit partout, spécialement dans l'est et le nord de la France. A cause de ses miracles dont *La Légende dorée* offre une bonne synthèse (*éd. cit.*, t. I, pp. 47-52), il devint le protecteur des étudiants, des clercs et des écoliers, des marchands, des marins et des voyageurs, voire des vagabonds et des voleurs ; il aidait à retrouver les objets et à marier les jeunes filles.

108. *ma chetive d'ame.* A rapprocher d'expressions comme « un drôle de client », « un coquin d'enfant ». Sur *chetive*, voir la note au vers 34.

118. *rest*, est de son côté, pour sa part.

122. *li dé.* Se rappeler l'importance des dés dans *La Griesche d'hiver* et *La Griesche d'été* de Rutebeuf.

126. *reson.* On peut traduire aussi par « raisonnement », « réplique ». Dieu aura de bonnes raisons à m'opposer.

129. *il*, Salatin.

135. *Je li ennui.* E. Faral et J. Bastin proposent de lire *Je li ennui ?* et de comprendre : « Je l'ennuie ? Eh ! bien, malgré lui, je... »

138. *ses erres*, « ses dispositions de marche ». Nom tiré du vieux verbe *errer* « aller, cheminer, marcher », qui vient du latin *iterare* et qui ne doit pas être confondu avec *errer* « s'égarer, se tromper », du latin *errare*. De la famille du premier ne subsistent que des mots souvent mal compris comme *errements* « façons d'agir habituelles », *chevaliers errants* « qui s'en vont à l'aventure », *le Juif errant*, condamné à marcher sans cesse.

149. *quatre tans.* Quatre fois autant qu'auparavant. Cf. Peter Rickard, TANZ et FOIS *with Cardinal Numbers in Old and Middle French*, dans *Studies... to A Ewert*, Oxford 1961, pp. 194-213.

150. *Aten le don.* Selon Faral et Bastin, *éd. citée*, p. 184, il faut comprendre : « Tiens la promesse de ce don », alors que nous faisons de *don* une graphie de *donc*.

151. *preudon.* C'est un homme pieux et fidèle à la volonté de Dieu. Déjà, dans la Chronique de Villehardouin, il alternait avec *saint* et *bon* pour désigner le prédicateur de la Quatrième Croisade, Foulques de Neuilly. Pour l'évolution de ce mot, voir E. Köhler, *L'Aventure chevaleresque*, Paris, Gallimard, 1974, pp. 149-160, et notre traduction du *Vair Palefroi* d'Huon le Roi, Paris, Champion, 1977, pp. 38-40.

152. *si a plus riche don.* C'est un très beau cadeau que Salatin fait au diable en lui livrant Théophile.

160-168. Formule magique, où certains, comme G. Cohen, ont voulu voir une imitation de l'hébreu. Ces vers font penser à une leçon peu citée du célèbre « babariol, babariol, babarion » du poème de Guillaume IX, *Farai un vers, pos mi sonelh* (manuscrit C, B.N., t. fr. 856) :

Tarrababart
Marrababelio riber,
Saramahart.

Ces vers « sonnent » plutôt arabe. Cf. A. Jeanroy, *Les Chansons de Guillaume IX d'Aquitaine*, Paris, Champion, 1927, pp. 34-36.

169. *ce qu'il i a.* Ce qu'il y a à dire, les paroles rituelles.

175. Sans doute faut-il imaginer que le diable arrive tout en sueur.

178. *De tel gaaing com nous savons.* Selon Faral et Bastin, *éd. citée*, p. 185, il faut comprendre : « pour le genre de profit que nous savons ».

179-180. D'autres traductions ont été proposées : « souvent nous nous chagrinons de ses agissements pour la bonne marche de nos affaires » (A. Jeanroy) ; « nous nous donnons du mal pour des acquisitions de ce genre » (Faral-Bastin) ; « que de fois nous épuisons-nous dans cette quête pour notre cause » (R. Dubuis).

191. *Sanz compaignie.* Cf. Gautier de Coinci, 238-239 : *Demain au soir ci revenés / Toz seus sanz nule compaignie.*

192. *travail.* Sens ancien de « tourment ».

195. *nerci,* noirci, c'est-à-dire les démons. Le texte ne manque pas d'humour.

201. *Ne me traveillier més.* Infinitif en fonction d'impératif, à valeur forte en ancien français.

206-208. Cf. Gautier de Coinci, vers 282-283 : *Je me sui ja tant entremis / Et tant penez de vostre afaire.*

209-213. Cf. Gautier de Coinci, vers 264-266 : *Je vos i cuit si empointier / Qu'il vos fera encor evesque / Ou apostoile ou archevesque.*

212-213. Pour le mot à mot, voir Faral-Bastin, *éd. citée,* p. 187 : « Tu n'es pas maintenant en perte autant qu'ensuite tu seras en gain. »

214-226. Cf. Gautier de Coinci, vers 304-310 : *N'aiez doutance ne peeur, / Fait li giüs, por chose qu'oiez / Ne por merveille que tu voiez. / Ne te saingne por nule rien, / Ce te commant et deffen bien, / Ne por rien nule qui t'apere / Ne reclaime Dieu ne sa mere.*

221. Cf. Gautier de Coinci, vers 696-700 : *Ne voi si viel ne chenu, / S'il n'a ce frain, se Diex me saut, / Qui tost n'ait fait un malvais saut. / Theophilus mau saut sailli / Quant conscïence li failli.*

224. *il,* les diables.

232. *Vilain qui va a offerande.* C'est-à-dire en renâclant, car le vilain passait pour avare.

235. *Il fu chanceliers.* Le nouvel évêque a-t-il été chancelier ? Impossible de trancher. Peut-être est-ce une manière de dénoncer l'âpreté du personnage, qui serait celle que l'on prêtait aux chanceliers dont une des fonctions était de tenir les comptes.

241. *outre reson.* On peut hésiter sur le sens de raison (1. discours ; 2. raison).

252. Cf. Gautier de Coinci, vers 393 : *Maint crestïen m'ont deceü.*

256-284. Les commandements du diable s'opposent aux dix commandements de Dieu. Ils constituent une synthèse des recommandations que Salatin adressait à Théophile dans le texte de Gautier de Coinci : « Garde toujours présent à ta pensée, si tu veux recueillir quelque bien, de ne jamais te souvenir d'elle (*Marie*). Garde-toi bien surtout de regarder même tes statues : tu n'en retirerais que du mal. Désormais tu dois avoir un maintien noble et élégant. Je te recommande d'abandonner entièrement l'existence que tu menais jusqu'alors. On peut par trop s'abaisser en ayant trop d'humilité. Te voilà puissant et riche ; aussi dois-tu être fier et élégant. Tu dois avoir de jolis vêtements, de beaux palefrois, de beaux destriers, des harnais, des étriers, une selle dorée, des éperons d'or. Bois, mange et dors tout ton saoul, assouvis tous les désirs de ton corps, car il y aura toujours assez de gens qui souffrent. Pour autant que ce monde m'ait bien instruit, je sais que celui dont le comportement n'est ni noble ni élégant, est considéré partout comme moins que rien : il n'essuie que rebuffades. A se mépriser on attire le mépris du monde : l'homme modeste n'a aucune valeur. Tu étais par trop hypocrite quand tu te mettais à genoux pour laver les pieds de ce ramassis de ribauds. Il ne convient pas à un homme de valeur de laver les pieds d'un gueux : ils sont bien trop répugnants, puants et sales. Quel niais tu faisais à les habiller à tes frais été comme hiver ! Allons donc, j'aurais préféré qu'ils fussent tous dévorés par les vers ! Tu étais aussi envahi de vermine et tu sentais horriblement mauvais. La haire que tu portais, te faisait endurer tant de souffrances, tu supportais tant de jeûnes et de privations que tu étais jaune comme la patte d'un milan. Tout cela ne vaut pas mieux qu'une vieille savate. Bois, mange et prends toutes tes aises. A endurer trop de souffrances, on ne vit pas longtemps. Je te donne entière liberté pour jouir de toutes les manières. Tu es beau et bien fait : ton corps doit t'être précieux. Comporte-toi de telle sorte que tous, jeunes et vieux, petits et grands, soient empressés à te servir » (vers 484-538).

273. *guivre*. Une des trois sortes de serpents selon le *Bestiaire* de Gervaise, à côté de la couleuvre et du dragon. Sur le mot et la présence de la guivre dans la littérature médiévale, voir notre *Cours sur la Chanson de Roland*, pp. 99-104.

275. *en la meson Dieu*. Cet hospice a pris ce nom vers 1258, ce qui permet de penser que la pièce de Rutebeuf n'est pas antérieure à cette date. Cf. E. Coyecque, *L'Hôtel-Dieu de Paris au Moyen Âge*, 2 vol., Paris, Champion, 1891, et J. Dufournet, *Nouvelles Recherches sur Villon*, Paris, Champion, 1980, pp. 228-231.

277. *fade*. Ce mot, qui vient du latin populaire *fatidus*, signifiait « faible, languissant, pâle ».

280. *seneschaus*. C'était souvent, dans la littérature médiévale, le type même du méchant et du déloyal. Voir l'art. de Br. Woledge, *Bons vavasseurs et méchants sénéchaux*, dans les *Mélanges R. Lejeune*, Gembloux, Duculot, t. II, pp. 1263-1277. Le sénéchal était chargé d'administrer le temporel de l'évêque.

290. *Se*, graphie de l'adverbe *si*.

301. *provande*. Ce mot, qui est la forme populaire de *prébende*, désigne ici la charge ecclésiastique à laquelle est attachée la prébende.

303. *fetes bele chiere*. Le mot *chiere*, qui vient du grec latinisé *kara*, désignait le visage au Moyen Âge. *Faire bonne chère*, c'était donc accueillir les gens avec un visage souriant ; de là le mot s'est appliqué à l'accueil, à la bonne vie, au repas qui traduit cet accueil et cette bonne vie, enfin au repas en général.

305. *Deable i puissent part avoir!* Blasphème de Théophile qui retourne la formule *Dieu y ait part!* qu'on employait pour demander la bénédiction divine.

307. *Et je l'i mis*. En fait, Théophile, en refusant d'être évêque, a permis à son ennemi actuel de l'être.

310. *Tripot lirot*. Expression de moquerie, dont la traduction peut être plus ou moins familière.

315. *paier*. Nous avons suivi Grace Frank en traduisant par « dédommager » (ce serait alors le verbe *payer*). Mais on peut comprendre *paier* au sens de « faire la paix ».

321-322. Jeu de mots goguenard. Théophile prend au sens littéral la formule de bienvenue de l'évêque (vers 320). Je suis bien venu, *(Si sui je)* dit-il, dans la mesure où j'ai réussi à me tenir debout *(Bien me soi tenir)* et à ne pas tomber en chemin *(Je ne sui pas cheüz par voie)*. Cette plaisanterie, comme la grossièreté du vers 310, suggère la déchéance du clerc.

329. *patrenostre*, Pater noster. Rutebeuf a joué sur cette expression dans *La Pauvreté Rutebeuf*, vers 44 : *Bien sai* PATER, *ne sai qu'est* NOTRE. Voir notre article « Sur trois poèmes de Rutebeuf », dans *Hommage à G. Moignet*, Strasbourg, 1980, pp. 421-428.

334. Ce proverbe a une autre forme dans le recueil de J. Morawski : *Buer est nez cui on dout*. « Il est né sous une bonne étoile celui qu'on redoute. »

336. *fel* (félon) comporte la double idée de déloyauté et de cruauté.

347. *Or est tornee ta rouele*. Sur Fortune, déesse capricieuse, maîtresse tyrannique du monde entier pour les gens du Moyen Âge, qui était représentée avec une roue qu'elle tournait sans arrêt, voir notre *Adam de la Halle à la recherche de lui-même ou le Jeu dramatique de la Feuillée*, Paris, SEDES, 1974, pp. 187 sqq. et le *capitolo* de Machiavel : *Fortune dispose du monde à son gré, / elle nous élève et nous ruine sans pitié / sans loi ni raison*.

348. *ambes as*. Les deux as, c'est-à-dire le plus mauvais coup au jeu de dés. Voir F. Semrau, *Würfel und Würfelspiel im Alten Frankreich*, Halle, 1910.

350. Pierre avait dû remplacer Théophile dans sa charge, sa *baillie*.

357. *faoisons*. Destinée, sort.

358. *Quant vous m'aviiez forjugié*, « quand vous m'aviez dépouillé par un jugement inique ».

359. *Maugré vostres*. On attend plutôt la graphie *vostre* du cas régime.

360. *Oublié aviiez le duel!* L'expression n'est pas facile à cerner exactement. On peut comprendre soit : « Vous aviez oublié la douleur que vous m'avez infligée », soit : « Vous aviez oublié ce qu'est la souffrance. »

362. *Fussiez vous evesques eüs*. Sur cette construction qui comporte une interversion d'*avoir* et d'*estre*, voir Tobler-Lommatzsch, *Altfranzösisches Wörterbuch*, t. III, 1457-1458.

373. *en*, de vous. Voir J. Pinchon, *Les Pronoms adverbiaux EN et Y*, Genève, Droz, 1972, p. 99.

376. Mot à mot : « Je vous aime tant et vous estime tant! » Nous avons traduit par « je vous tiens en grande estime », pour garder le jeu de mots avec le vers suivant, où *pris* est le participe passé du verbe *prendre*.

389. *Si ai lessié le basme, pris me sui au seü*. Rutebeuf oppose le baume (c'est-à-dire le parfum agréable, la douceur suave, la consolation) au sureau (c'est-à-dire à l'odeur désagréable, au goût acide, au désespoir). Judas passait pour s'être pendu de désespoir à un sureau.

395. Cf. Gautier de Coinci, vers 823 : *Ne gart l'eure terre m'engloute*.

404. *plus de set anz*. L'expression exprimait certes une longue durée, mais elle avait aussi une valeur symbolique, marquant achèvement et recommencement. Cf. J. Ribard, *Le Moyen Âge. Littérature et symbolisme*, Paris, Champion, 1984, p. 25-26 : « ... le *sept*, unissant en lui les vertus, antagonistes mais complémentaires, du *quatre* et du *trois*, servira à marquer la perfection d'un cycle achevé et comme fermé sur lui-même, mais qui appelle, de ce fait même, un dépassement, ce qu'on pourrait appeler un passage à l'octave. La chose éclate avec évidence dans *Le Miracle de Théophile*, quand nous voyons le héros, soudain touché par la grâce, affirmer sa détermination de renoncer au mal dans lequel il s'était en quelque sorte installé : " *Sathan, plus de set anz ai tenu ton sentier* " (vers 404). Et on le verra brusquement — sans aucune de ces préparations psychologiques bien étrangères à l'esprit médiéval, qui est essentiellement métaphysique — se tourner vers la Vierge pour réorienter totalement sa vie ».

405. *Maus chans m'ont fet chanter li vin de mon chantier*. Jeu de sonorités sur *chanter* et *chantiers*. *Chantiers* désignait les pièces de bois

sur lesquelles on posait les tonneaux. Mais le mot s'appliquait aussi aux tréteaux sur lesquels on exposait un mort, ou au lit où l'on souffrait, comme dans *La Complainte Rutebeuf*, vers 96-98 : *Ma fame ra enfant eü, / C'un mois entier / Me ra geü sur le chantier*, « Quant à ma femme qui a eu un enfant, pendant tout un mois elle fut à deux doigts de la mort. »

412-415. Rutebeuf joue sur des mots de la famille de *baillier*. En voici le sens exact d'après l'édition de Faral-Bastin, p. 195 : *bailli*, « gouverneur (de soi-même) » ; *baillie*, « gouvernement (de soi-même) ». — 413, *mal bailli*, « mal traité, mis en mauvaise situation ». — 414, *se baillier*, « se livrer, se confier » ; *baillie*, « l'autorité (de la Vierge) ». — 415, *bailliez*, « pris (en bienveillance) » ; *baillie*, « (bien) dirigée ».

416-417. Le poète joue maintenant avec des mots de la famille d'*ort*, « sale, répugnant » : *ordoiez*, « souillé, sali » ; *ordure, ordement*, « ignoblement » ; et avec l'opposition à la rime entre *ordure* et *(qui) or dure*.

427. *mar te vi*. *Mar* (de *mala hora*) signifie : *a* / employé avec les futurs I et II, « à tort » (c'est souvent une forme renforcée de la négation) ; *b* / employé avec le passé simple, « c'est pour mon, ton, son... malheur » ; *c* / employé avec le verbe *être*, « en vain, en pure perte ». Cf. B. Cerquiglini, *La Parole médiévale*, Paris, Éditions de Minuit, 1981, pp. 127-245.

435. *revele*, « éclate joyeusement ». Cf. G. Lavis, *L'Expression de l'affectivité dans la poésie lyrique du Moyen Âge (XIIᵉ-XIIIᵉ siècles). Étude sémantique et stylistique du réseau lexical joie-douleur*, Paris, Les Belles Lettres, 1972, p. 273 : « *Revel* et *reveler* mettent spécialement l'accent sur l'idée d'exubérance. »

452. *franchise*. Le mot *Franc*, qui n'avait d'abord qu'une valeur ethnique (il s'agit du peuple franc), s'est ensuite identifié avec le mot *libre* (cf. franc arbitre, avoir les coudées franches, corps franc) et a désigné les nobles. Puis, au sens social, s'est ajoutée l'idée de noblesse morale et de noblesse des manières, avec, au premier plan, l'idée de générosité.

457. *Mon corage varie*. Sur le mot *courage*, « cœur », voir l'étude de J. Picoche, *Le Vocabulaire psychologique dans les Chroniques de Froissart*, Paris, Klincksieck, 1976, pp. 53-57. *Varie*, « fais changer ».

462. *Ci avra dure verve*. Le mot *verve* apparaît aussi dans *La Complainte d'Outremer*, vers 48-50 : *Més qui voudra avoir honor / En paradis, si le deserve, / Quar je n'i voi nule autre verve*, « Pour avoir un fief en Paradis, il faut le mériter, je ne vois rien d'autre à dire ». Selon Albert Henry, *Chrestomathie de la littérature en ancien français*, p. 81, le sens ne paraît pas être exactement le même des deux côtés. « Langage, parole, caprice, fantaisie » ne conviennent pas. Dans la prière de Théophile, le mieux est de traduire le vers par « Ce sera

une bien vilaine histoire » (pour garder le contact avec le sens général
du mot). Dans l'autre passage, il faut plutôt penser à « idée,
inspiration ».

468-470. Cf. *La Vie sainte Marie l'Égyptianne*, vers 269-270, *Dame
qui por ton douz salu / Nous a geté de la palu / D'Enfer...*, et *L'Ave
Maria Rutebeuf*, vers 34-36, *Ave, roïne coronee ! / Com de bone eure tu
fus nee, / Qui Dieu portas ! Salu* désigne le Christ, le salut du monde.

473. *enferne palu*, marais infernal. Expression traditionnelle pour
désigner l'enfer. Voir notre art. « Deux poètes du Moyen Âge en face
de la mort : Rutebeuf et Villon », dans *Dies Illa. Death in the Middle
Ages*, Liverpool, Cairns, 1984, p. 163.

475. *Ton salu m'a valu*. Sans doute s'agit-il de l'*Ave Maria*, appelé
aussi *le Salut la Dieu Mere*.

477. *Tentalu*. Tantale, roi de Libye, qui, ayant reçu la visite des
dieux, leur fit servir les membres de son fils, et que Zeus précipita
dans le Tartare, le condamnant à être sans cesse en proie à une faim
et à une soif dévorantes.

478. *jalu*, graphie de *jalos*, « avide ».

479. *Ne praingne m'erité :* mot à mot « je ne reçoive mon
héritage ».

489. Nous avons adopté le texte du manuscrit C, qui offre un sens
meilleur.

490. *Ne souffrir*, infinitif en fonction d'impératif négatif.

492. *en la verriere*. Sur la verrière comme symbole de la maternité
virginale, voir l'art. de Y. Hirn dans *Neuphilologische Mitteilungen*,
t. 29, 1928, p. 33, et notre art. sur *Rutebeuf et la Vierge*. C'est
Hildebert de Tours, mort vers 1133, qui le premier a comparé Marie
au cristal que la lumière traverse sans le détériorer. Reprenant la
même image, Wace, dans la seconde moitié du XIIᵉ siècle, a remplacé
le cristal par le vitrail ou la verrière.

503. *Rapelaisses arriere. Rapelaisses* « est étrange après un présent
dans la principale ; le manuscrit B.N.fr.1635, qui est presque
toujours d'accord avec le manuscrit complet, donne ici *Fai retorner
ariere*, ce qui marque bien l'embarras du scribe. Le texte original a
dû porter *Rapels* ou *rapeaus çà en ariere* » (A. Henry, *op. cit.*, p. 82).

513. *Li serf de pute estrace*. « Les serfs de sale engeance », « les
démons » ; cf. *La Griesche d'hiver*, vers 62, *Li trahitor de pute estrace*,
les dés.

519-520. Cf. *La Repentance Rutebeuf*, vers 59-60 : *Si com c'est
voirs, si praingne en cure / Ma lasse d'ame crestiene !*

525. *fine*. « Fin *adj*. peut rendre une foule de nuances qui varient
avec le substantif qu'il qualifie et qu'il élève à sa plus haute

puissance » (L. Foulet). Un *chevalier trop fin* est un chevalier accompli ; une *fine angoisse* est une angoisse aiguë ; la *fin'amors,* par rapport à l'amour et à la courtoisie, est la religion de l'amour.

527. *Que ne m'en voi conduire.* Il faut comprendre selon Faral-Bastin, *éd. citée,* p. 198 : « Car je ne vois pas avec mes yeux (*en*) pour me conduire. »

547. *Que ne gart l'eure.* « Car je m'attends à tout instant. » Cf. A. Jeanroy, dans *Romania,* t. 44, 1915-1917, p. 586, et L. Clédat, *ibid.,* t. 45, 1918-1919, p. 261.

547-548. Cf. Gautier de Coinci, vers 1224-1226 : *Ne gart l'eure qu'as mains me tigne, / Ne gart l'eure tot vif me prengne, / Ne gart l'eure si me sousprengne.*

552. *favele,* « discours, bavardage, bla-bla-bla, mensonge ». Le mot *favele* (issu de *fabella,* diminutif de *fabula*), sous la double influence de *fauve* et de *faux,* a désigné l'hypocrisie, la ruse, la tromperie, souvent sous la forme *fauvele.*

562. *Virge, pucele debonere.* Sur la Vierge, appelée *pucele,* voir notre art. sur *Rutebeuf et la Vierge.*
debonere. Évolution sémantique : 1/ de bonne race (*de bonne aire*), noble ; 2/ noble de caractère, généreux, bienveillant, bon (c'est le sens dans le texte de Rutebeuf) ; 3/ trop généreux, faible de caractère.

566. *Cahu.* Dieu sarrasin. Cf. Paul Bancourt, *Les Musulmans dans les chansons de geste du cycle du Roi,* Aix-en-Provence, Université de Provence, 1982, 2 vol., t. I, p. 384.

567-568. *je t'ai seü / Ça en arriere a moi eü.* Mot à mot : « J'ai su que tu avais été à moi autrefois. »

595. *barate.* Ou *barat,* « ruse, tromperie ». Fréquemment appliqué à Renart. Sans doute ce mot, d'origine obscure (celtique *bar,* « bagarre ») signifia-t-il d'abord « confusion, désordre, tapage » ; de là des sens dérivés : 1/ tapage d'une foule en fête ; foule ; divertissement, fête ; élégance manifestée un jour de fête ; 2/ tapage, bagarre, querelle ; tromperie, ruse ; marchandage, achat.

609. *geter faute.* Expression du jeu de dés : « jeter les dés en perdant le coup ».

611-615. Passage construit sur des mots de la famille de *voie.* Rutebeuf enchérit sur Gautier de Coinci, vers 761-762 : *Qui toz les pecheors avoie / Par sa douceur et met a voie.*
Sans doute est-ce aussi un écho au *Jeu de saint Nicolas* de Jean Bodel, qui écrit à propos du saint : *Il ravoie les desvoiés* (vers 522).

640. En fait, l'évêque lit non pas la charte de Théophile, mais une lettre du diable. Voir l'explication de Faral-Bastin, *éd. citée,* p. 170, et notre introduction.

646. *li*, au diable.

653. *De son sanc les escrist. Les*, les mots de la lettre.

La lettre de sang ne se trouve ni dans Paul Diacre, ni dans Gautier de Coinci, cf. H. Strohmayer, dans *Romania*, t. 23, 1894, p. 605.

DOSSIER

I. LA MISE EN SCÈNE
DES THÉOPHILIENS DE GUSTAVE COHEN

Nous reproduisons les notes que Gustave Cohen a publiées sur la mise en scène et les costumes de la pièce à la suite de sa traduction du *Miracle de Théophile*, Paris, Delagrave, 1934, pp. 53-61.

C'est un document en quelque sorte archéologique, et une manière de rendre hommage à un pionnier des études médiévales à la Sorbonne et du théâtre universitaire, qui s'est toujours interrogé sur la réception par le public moderne des grandes œuvres théâtrales du Moyen Age.

Les représentations du *Miracle de Théophile* en mai 1933, qui ont donné leur nom de Théophiliens à la troupe universitaire de Gustave Cohen, ont inauguré un riche répertoire qui, entre 1933 et 1950, a compris[1] :

— XIIe siècle : *Le Jeu d'Adam et d'Ève.*

— XIIIe siècle : *Le Miracle de Théophile*, de Rutebeuf ; *Le Jeu de Robin et Marion*, d'Adam de la Halle ; *Aucassin et Nicolette* ; *Le Dit de l'Herberie*, de Rutebeuf.

— XVe siècle : *La Passion des Théophiliens*, d'après les *Mystères de la Passion* d'Arnoul Greban et de Jean Michel (I. *Marie-Madeleine* ; II. *Judas* ; III. *Notre-Dame*) ; *La Farce de Maître Pierre Pathelin* ; *Le Franc Archer de Bagnolet* ; *L'Aveugle et le Boiteux*, d'André de La Vigne ; *La Sottie des trois galants et Phlipot* ; *La Farce de Maître Mimin.*

1. Voir Gustave Cohen, *Expériences théophiliennes*, dans le *Mercure de France*, t. 278, 1937, pp. 453 et sq. Consulter aussi sa bibliographie dans les *Mélanges d'histoire du théâtre du Moyen Âge et de la Renaissance offerts à Gustave Cohen*, Paris, Nizet, 1950.

— XVIe siècle : *Abraham sacrifiant,* de Théodore de Bèze ;
                    La Condamnation de Banquet, de Nicolas de
                    la Chesnaye ; *Les Juives,* de Robert Garnier.

— Poésie :   *Le Miracle de la Veillée* (Divertissement sur
                    des poèmes du Moyen Age).

Nous avons conservé dans les pages qui suivent la traduction et le découpage en scènes de Gustave Cohen ; mais, pour
faciliter la tâche du lecteur, nous avons ajouté entre crochets
les numéros des vers.

1. NOTES SUR LA MISE EN SCÈNE

Je n'ai rien dit en mon avant-propos de la mise en scène du *Miracle de Théophile* sur laquelle le manuscrit unique (Ms. 837 de la Bibliothèque nationale[1]) ne nous donne que les indigents renseignements que l'on peut induire des rubriques ou didascalies. Mais se situant entre le fragment de la Résurrection[1] de la fin du XIIe siècle ou du début du XIIIe siècle, dont le prologue contient une description de décors, et les grands mystères cycliques des XIVe, XVe et XVIe siècles, il va de soi qu'il repose sur les mêmes principes de la *Mise en scène simultanée*, dont j'ai longuement établi les principes dans deux ouvrages : *Histoire de la Mise en Scène dans le Théâtre religieux français du Moyen Age*[2] et *Le Livre de Conduite du Régisseur et le Compte des Dépenses pour le Mystère de la Passion joué à Mons en 1501*[3].

L'application de ces principes nous a permis de supposer légitimement que l'édifice scénique reposait, comme à l'ordinaire, sur ces deux colonnes : le Paradis à gauche du spectateur et l'Enfer à sa droite (représenté surtout par une Gueule menaçante, prête à engloutir le pécheur). Entre ces maîtresses pièces s'alignent en hémicycle les quatre *mansions* (le mot est un doublet de *maison*) nécessaires à l'action et devant lesquelles elle se transporte et se déroule à volonté : la Chapelle, le Palais de l'Évêque, la Maison de Théophile, et celle du Juif Salatin. Conformément à la symbolique des couleurs chère au Moyen Age, la chapelle est fermée par un voile bleu semé d'étoiles, le palais par une tenture rouge, la maison de Théophile par une toile verte, celle de Salatin par de la soie jaune. C'est ce qu'ont excellemment réalisé selon

1. Cf. éd. Grace Frank, (p. 48), citée plus haut.
2. 2e éd. Paris, Champion, 1926, in-8.
3. Strasbourg, Istra et Paris, Champion, 1925, in-8.

mes indications, Raoul-Roger Ballet, dont on verra ici le dessin, et Louis Dubief, qui l'a exécuté.

Mais tel le théâtre grec, dont il apparaît comme la réplique chrétienne, le théâtre médiéval (et c'est ce qui fait sa valeur) comporte la collaboration de tous les arts : architecture, peinture, sculpture, danse, mimique, musique.

Je laisse donc la parole à mon élève Jacques Chailley, excellent musicien et metteur en scène de vocation, qui pour la musique a réglé tous les détails de la représentation.

SCÈNE I. Le chœur ouvre le jeu par le chant de l'Organum *Virgo*. (Manuscrit de Montpellier, H. 196 — f° 5 v°. 599. — Transcription inédite Mme de Yv. Rokseth.)

Attaque de la quinte à vide, f. — syllabe « A ».

Longue tenue, decrescendo. Court silence.

Dès la reprise de la phrase musicale (syllabe « VIR »), entrée des entreparleurs, dans l'ordre suivant :

> DIEU LE PÈRE suivi de ses angelots.
> NOTRE DAME.
> L'ÉVÊQUE.
> Les trois clercs : PINCEGUERRE, PIERRE, THOMAS.
> THÉOPHILE.
> SALATIN. (*Les diables ne participent pas au défilé.*)

Ils font lentement le tour de la scène et s'apprêtent à sortir face au public, la tête de la procession (Dieu le père) se trouvant le plus près du Paradis, à droite de la scène.

Vers le dernier tiers de l'*organum,* quand le ténor instrumental monte enfin d'un degré (du *fa* au *sol*), chacun va lentement se pla er devant sa *mansion* respective :

Dieu, Notre Dame et les Anges vont s'asseoir au Paradis.

L'Évêque et ses clercs se tiennent debout devant la maison de celui-ci.

Théophile et Salatin devant leurs maisons respectives.

Tous doivent être en place avant la fin de la musique.

Quand celle-ci s'est tue, Théophile s'avance et commence.

SCÈNE IV. — *Évocation du diable* [vers 160] :

Salatin fait avec sa baguette le geste de tracer autour de lui le Cercle Magique. Roulement confus de batterie.

Court silence.

Rythme de batterie, lent et net, pianissimo.

Quand le rythme s'est suffisamment imposé : lentement à sortir et à mi-voix :

> *Bagahi... Karrelyos.*

Crescendo du rythme, accent ternaire au lieu de binaire.

Les paroles magiques suivent le crescendo, sans presser.

> *Lamac... Baryolas.*

Le rythme devient fort et précipité, mais toujours net (par 4, doubles croches accentuées sur le temps).

Lagozatha... Famyolas.

Sur le rythme devenu exaspéré s'ajoute un roulement de baguettes de feutre sur cymbales suspendues, commencé pianissimo et mené rapidement crescendo.

Harraya ! (*peut être répété 3 fois*).

Hurlement de triomphe, Salatin baguette levée victorieusement, sur le tintamarre de la batterie déchaînée.

La grosse caisse s'arrête net, on laisse la cymbale vibrer.

Aussitôt, flammes de la Gueule d'Enfer (poudre de lycopode ou d'aluminium), tonnerre frappé sur une tôle.

Le Diable bondit.

SCÈNE V. — *Ni en hébreu ni en latin* [vers 203].

Le Diable, qui pendant la fin de sa réplique, s'est rapproché de la Gueule d'Enfer, y disparaît.

Flammes (*ad libitum*), mais non tonnerre à la sortie.

Salatin revient devant sa mansion.

Court arrêt.

Théophile quitte sa mansion, s'avance sur la scène et se dirige ensuite vers Salatin,

Va t'en. [vers 224]. Salatin pousse Théophile vers la Gueule d'Enfer.

Je m'en vais... Plaider [vers 227-229] : Théophile va lentement à la Gueule d'Enfer. Salatin revient devant sa mansion.

Théophile arrive devant la Gueule. Tonnerre. Il s'arrête. Jeux de frayeur. Flammes. Fuite effrayée de Théophile. Sortie brusque du Diable et de Satan, qui arrête sa fuite.

SCÈNE VI. — *Venez avant* [vers 230]. Théophile revient craintivement et comme à regret : *Et à grands pas.*

Tes mains joins : Théophile joint les mains en les tendant [vers 239-240] vers Satan, qui les recouvre des siennes (voir la scène au croisillon nord de N.-D. [1]), puis, lentement, le force à s'agenouiller dans cette posture.

Ainsi mon homme... Qu'on ne te contempla jamais [vers 240-247]. Cet échange de promesses dans la posture ci-dessus. Puis Satan relève Théophile.

Ravoir ma grâce [vers 287] : Satan rentre seul dans la Gueule d'Enfer (flammes) tenant la charte en main. Le petit Diable reste en scène : il se tiendra désormais dans le sillage de Théophile jusqu'à la Repentance.

1. Cf. Songez, *Notre-Dame de Paris*, éd. Tel, 1932, in-fol., pl. V.

Théophile revient devant sa mansion. Le petit Diable l'y accompagne, puis le quitte et se dirige vers la maison de l'Évêque (marche qui peut être rythmée par la batterie). Il passe derrière lui et le tire discrètement par sa soutane. L'Évêque tressaille légèrement (souligner par batterie) et entre dans le jeu :

SCÈNE VII.   *Lève-toi vite, Pinceguerre* [vers 288].

Vous dites vrai, beau très doux sire [vers 295] : Pinceguerre va à Théophile, cependant que le Diable est revenu se blottir près de la mansion de celui-ci. Faire un assez grand tour sur scène. Jeu de ne pas voir Théophile et de chercher devant une porte supposée.

SCÈNE VIII. — *Qui est céans ?... Je suis un clerc* [vers 296] : Théophile fait un pas en avant.

Je le veux bien [vers 345] : L'Évêque fait un signe à ses clercs, qui revêtent Théophile d'un camail de couleur rouge, préparé à l'avance devant la maison de l'Évêque ainsi que les ornements de cérémonie de celui-ci.

Puis les clercs se disposent à reprendre leur place devant la mansion, avec l'Évêque. Mais Théophile arrête Pierre, de sa place.

SCÈNE X. — PIERRE : Pierre vient à Théophile, *Veux-tu ouïr nouvelle ?* [vers 346]

Tant redoutiez le roi céleste [vers 365] : Pierre rejoint sa place, en jetant des regards inquiets sur Théophile, qui va pour le poursuivre, et aperçoit Thomas en cours de route : il l'amène sur le devant de la scène.

SCÈNE XI.   *Thomas, Thomas* [vers 366].

A ce que je crois et attends [vers 383] : Thomas rejoint sa place.

Théophile l'abandonne et vient se placer sur le devant de la scène, les bras croisés, dans une attitude arrogante, tandis que le Diable se tient derrière lui, un peu de côté cependant.

Commence alors la mimique de la Repentance.

SCÈNE XII. — *Scène muette de la Repentance :*

a) Danse et sortie du Diable. Pendant toute cette partie, Théophile demeure immobile ; simplement, pendant le decrescendo qui accompagne l'éloignement du Diable, il baisse progressivement la tête, de façon insensible, de manière à se trouver, quand le Diable aura disparu, toujours bras croisés, mais tête inclinée.

Rythme de grosse caisse :

A chaque coup correspond un soubresaut du Diable, puis, quand le rythme est déclenché, un pas sur les temps forts.

(Ces deux mesures à répéter 10 fois)

D'abord courbé et serpentant, il se redresse avec la montée du rythme, mime une danse victorieuse au plus fort du rythme, puis avec la décroissance, se baisse de nouveau, mime la terreur et l'impuissance, et, aux derniers coups, doit se trouver devant la Gueule d'Enfer, où il disparaît sur le dernier temps, sans flammes ni tonnerre.

b) Chant céleste : Dès que le Diable est disparu, une voix seule chante, sans accompagnement, la première phrase du motet sur ténor *Alma* (partie du duplum) n° XXV de P. Aubry, *Cent motets de Bamberg* [1], Ms. de Bamberg, f° 14, v°. — (transcription révisée).

« *Descendi in hortum meum ut viderem poma convallium.* »

On enchaîne : reprise depuis le début, cette fois à 3 parties : le ténor instrumental au hautbois — le duplum par voix solo — le triplum sans les paroles (*Gaude super omnia...*) mais bouches fermées, par le reste du chœur. Faire ressortir en particulier le point culminant du duplum « *Revertere, revertere, Sulamitis.* »

Pendant ce chant, Théophile, toujours immobile, a redressé lentement le chef, a écouté ces voix et s'est pris la

---

1. Paris, Rovart et Geuthner, s. d., 3 vol. in-4.

tête dans les mains. C'est dans cette position que le trouve la fin du chant après laquelle commence la Repentance.

Nul ne m'en doit blâmer [vers 431]

Théophile va à la chapelle de Notre Dame côté Paradis et s'agenouille.

SCÈNE XIII.   *Ma sainte reine belle.* [vers 432]
           Par le pillard sans foi [vers 528].

Notre Dame se lève, quitte le Paradis et vient se placer devant sa chapelle, sans que Théophile fasse geste de la voir.

Après la prière :

Que nul d'eux ne la voie [vers 439] : Elle fait un pas en avant. C'est alors que Théophile voit l'apparition et le manifeste dans son jeu.

SCÈNE XIV. — *Je la vais querre* [vers 572] : Notre Dame se dirige vers la Gueule d'Enfer. Elle s'arrête à quelque distance. Théophile reste agenouillé devant la chapelle.

SCÈNE XV. — *Satan !* [vers 573] — Silence.

Es-tu donc en resserre ? — Flamme (pas de tonnerre). Satan sort, tenant en main la charte.

Et je te foulerai la panse [vers 585] : Notre Dame lève sa croix. Satan tombe à terre et, vaincu, tend la charte. (Voir la scène au portail de Notre-Dame.) Notre Dame arrache la charte et revient vers sa chapelle, tandis que Satan, penaud, rentre en Enfer sans flammes ni tonnerre.

(N. B. — Notre Dame doit-elle frapper réellement Satan de sa croix, ou le simple geste de menace est-il suffisant ? Les avis sont partagés.)

Je le vois bien [vers 601] : Notre Dame retourne au Paradis. Théophile se lève et va à l'Évêque.

SCÈNE XVII.

          « *Sire, écoutez... La tricherie.* » [vers 602-631]

SCÈNE XVIII. Les trois clercs s'empressent autour de l'Évêque et le revêtent en cérémonie de ses ornements d'apparat, préparés à l'avance.

Pendant ce temps, le chœur chante :

          « *Alle, psallite cum luya*[1]. »
     (f° 392 du ms. de Montpellier, H. 196,
      transcription inédite de Mme Yv. Rokseth.)

Reprise D. C. si le temps pris par le jeu de scène le demande.

---

1. On remarque la curieuse coupure de *alleluia*, ce mot qui a joué un si grand rôle dans le développement de la musique liturgique. Cf. Gérold. *La Musique au Moyen Âge*, Paris, Champion, 1932, in-12.

Une fois l'Évêque habillé, en mitre et chasuble, crosse en main, tous s'avancent sur le devant de la scène et se placent de façon à former un fronton triangulaire (comme dans la partie supérieure du tympan de Notre-Dame déjà invoqué) :
l'Évêque au centre, debout.
Théophile à sa droite, Pinceguerre à sa gauche,
agenouillés sur un seul genou.
Pierre et Thomas à chaque extrémité, accroupis et penchés vers le centre.

Le tableau doit être formé à l'arrêt de la musique.

L'Évêque confie sa crosse à Pinceguerre, déplie la charte et annonce :

Oyez, pour Dieu fils de Marie [vers 632].

En dignité remettre [vers 654] : L'Évêque reprend sa crosse et conclut solennellement :

Voilà l'histoire [vers 656] : en s'échauffant jusqu'à

Levez vous, sus [vers 662] : Les clercs *et les choristes* se lèvent.

(Dans certains cas, il sera possible de faire lever la salle entière.)

Disons : Te Deum laudamus [vers 663] : On chante *Te Deum*, grégorien.

Après deux ou trois versets, les entreparleurs restés dans leurs lieux respectifs (Dieu, les Anges, Notre Dame à droite, Salatin à gauche), quittent leur place et viennent se ranger devant les spectateurs, comme à l'arrivée. Après un court arrêt, ils se mettent processionnellement en marche, refont en sens inverse de leur arrivée le tour de scène et sortent par la chapelle ou par la draperie de fond entre celle-ci et l'une des mansions qui l'avoisinent.

Le chœur s'arrête après avoir terminé le verset du *Te Deum* pendant lequel est sorti le dernier entreparleur.

2. NOTES SUR LES COSTUMES DU « MIRACLE DE THÉOPHILE[1] »

COSTUMES DE DIEU LE PÈRE : d'après une miniature du musée de Cluny : aube serrée à la taille, grande chape semi-circulaire (lamé or). Tiare.

LA VIERGE : costume exécuté d'après :

a) la statue du trumeau de la Porte de la Vierge Dorée à Notre-Dame d'Amiens.

b) le tympan nord de Notre-Dame de Paris.

c) plusieurs statues du XIIIe siècle (accessoires).

Robe longue à manches étroites, serrée à la taille par une cordelière (costume des femmes à la fin du XIIIe siècle).

Manteau jeté sur les épaules et maintenu par une bride avec gros cabochons.

Sur la tête, voile et diadème.

Croix inspirée du tympan de Notre-Dame.

ANGES : Robes et palmes que l'on retrouve dans certaines voussures de cathédrales.

THÉOPHILE ET MOINES : Robes et accessoires (aumônières, perruques, chaussures) inspirés du tympan nord de Notre-Dame, et de miniatures du XIIIe siècle.

ÉVÊQUE, costume exécuté d'après :

a) des croquis pris à une conférence de M. Ruppert (professeur d'Histoire du costume), sur l'Histoire du costume épiscopal.

b) une statue du portail sud de Chartres (partie droite).

c) des peintures du XIIIe siècle.

d) le tympan nord de Notre-Dame.

1. Ils ont été conçus par deux de mes étudiants, anciens élèves de l'École des Beaux-Arts, M. Millot et Mlle Darmon et drapés par Mlle Jeandet.

Soutane bleue ou violette.

Aube sans dentelle serrée à la taille.

Amict, carré de toile autour du cou sur les épaules.

Chasuble avec *cingulum* et *pallium,* mitre semi-rigide.

Crosse sculptée d'après des crosses du Moyen Age par Raoul-Roger Ballet.

SALATIN : d'après une miniature du début du XIVe siècle et les conseils de M. Ruppert.

Robe ample aux larges manches de couleur différente. Sur la poitrine, rouelle rouge.

Bonnet pointu avec rouelle.

Manteau rectangulaire drapé avec 4 glands.

LES DIABLES : inspirés :

a) du tympan nord de Notre-Dame.

b) d'un tympan de Souillac (XIIe siècle) représentant *Le Miracle de Théophile.* Maillots et masques, exécutés par Paul Froger, des Comédiens Routiers.

Les projets de tous ces costumes ont été soumis à M. Ruppert qui les a revus et corrigés.

II. POÈMES A NOTRE-DAME, DE RUTEBEUF

Nous avons retenu trois prières de Rutebeuf à la Vierge. Deux, *Un Dit de Notre-Dame* et *L'Ave Maria de Rutebeuf*, sont des poèmes lyriques ; le troisième est la prière qu'adresse Marie l'Égyptienne à Notre-Dame dans le poème hagiographique qui lui est consacré, *La Vie de sainte Marie l'Égyptienne* (vers 261-332). On trouvera deux autres poèmes à la Vierge dans notre *Rutebeuf, Poèmes de l'Infortune et autres poèmes*, Paris, Gallimard, 1986 (*Poésie*), pp. 124-147.

1. UN DIT DE NOTRE-DAME

Dans ce poème, Rutebeuf commence par annoncer qu'il va chanter les louanges de Marie. Comme il déclare que cet éloge qu'il se propose d'entreprendre constitue pour lui une tâche énorme « tant que — dit-il — ne sai ou je commance », on est quelque peu surpris de ne trouver, en fait, qu'un rappel des principaux événements de l'histoire du salut, depuis la chute d'Adam et Ève jusqu'à la venue du Saint-Esprit sur les Apôtres le jour de la Pentecôte.

Le poète nous présente Marie intervenant auprès de son Fils pour l'inciter à la clémence. Pour parvenir à ses fins, Marie lui rappelle tout ce qu'il a enduré pour les hommes et le met en garde contre une rigueur excessive qui n'aurait pour effet que de gâcher tout ce qui a déjà été réalisé. Le poème se termine par une exhortation à recourir à Notre-Dame pour qu'elle mène à bien l'affaire de notre salut, c'est-à-dire la réconciliation avec son Fils. En définitive, plus que d'un éloge de la Vierge, il s'agit en fait, dans ce poème, d'une présentation de Notre-Dame dans son rôle de médiatrice.

UN DIST DE NOSTRE DAME

De la tres glorieuse Dame
Qui est saluz de cors et d'ame
Dirai, que tere ne m'en puis ;
4 Més l'en porroit avant un puis
Espuisier c'on poïst retrere
Combien la Dame est debonaire.
Por ce si la devons requerre
8 Qu'avant qu'elle chaïst sor terre
Mist Diex en li humilité,
Pitié, dousor et charité,
Tant que ne sai ou je commance :
12 Besoignex sui par abondance.
L'abondance de sa loange
Remue mon corage et change
Si qu'esprover ne me porroie,
16 Tant parlasse que je voudroie.
Tant a en li de bien a dire
Que trop est belle la matiere.
Se j'estoie bons escrivens,
20 Ainz seroie d'escrire vains
Que je vous eüsse conté
La terce part de sa bonté
Ne la quarte ne redeïsme :
24 Ce set chacuns par lui meïsme.

Qui orroit comment elle proie
Celui qui de son cors fist proie
Por nous toz d'enfer despraer
28 C'onques ne vost le cors despraer,
Ainz fu por nos praez et pris,

UN DIT DE NOTRE-DAME

De la très glorieuse Dame
qui est le salut du corps et de l'âme
je vais parler, car je ne puis me taire ;
4 mais l'on pourrait vider un puits
avant de pouvoir raconter
la douce bonté de la Dame.
Pour cette raison nous devons la prier
8 car, avant qu'elle vînt sur terre,
Dieu mit en elle l'humilité,
la pitié, la douceur et la charité,
à un point tel que je ne sais par où commencer :
12 l'abondance du sujet m'accable.
L'abondance de sa louange
trouble et remue mon cœur
à tel point que je ne saurais tout dire,
16 dussé-je parler aussi longtemps que je voudrais.
Il y a tant de bien à en dire
car le sujet est merveilleux.
Si j'étais bon écrivain,
20 je serais épuisé d'écrire
avant d'avoir pu vous raconter
le tiers ou le quart
ou même le centième de sa bonté :
24 cela, tout le monde le sait.

Qui voudrait écouter comment elle prie
Celui qui prit possession de son corps
pour nous arracher tous de l'enfer
28 au mépris de sa propre personne,
et, tout enflammé de charité,

Dou feu de charité espris !
Et tot ce li ramentoit elle
32 . . . .
. . . .
La douce Vierge debonaire :
« Biaus filz, tu suis fame et home,
36 Quant il orent mors en la pome,
Il furent mort par le pechié
Don Maufez est toz entachiez,
En enfer il dui descendirent
40 Et tuit cil qui d'enfer yssirent.
Biax chiers fis, il t'en prist pitiez
Et tant lor montras d'amistiez
Que pour aus decendis des ciaus.
44 Li dessandres fu bons et biax :
De ta fille feïs ta mere,
Tiex fu la volanté dou Pere.
De la creche te fit on couche :
48 Sans orguel est qui la se couche.
Porter te covint en Egypte ;
La demorance i fu petite,
Car aprés toi ne vesqui gaires
52 Tes anemis, li deputaires
Herodes, qui fist decoler
Les inocens et afoler
Et desmenbrer par chacun menbre,
56 Si com l'Escriture remenbre.
Aprés ce revenis arriere ;
Juï te firent belle chiere,
Car tu lor montroies ou Temple
60 Maint bel mot et maint bel example.
Mont lor plot canques tu deïs
Jusqu'a ce tens que tu feïs
Ladre venir de mort a vie.
64 Lors orent il sor toi envie,
Lors fus d'aus huiez et haïz,
Lors fus enginiez et traïz
Par les tiens et a aus bailliez,
68 Lors fus penez et travillez
Et lors fus lïez a l'estache :
N'est nus qui ne le croie et sache.
La fus batuz et deplaiez,
72 La fus de la mort esmaiez,
La te covint porter la croiz

pour nous fut pris et fait prisonnier ?
Elle lui rappelle tout cela

32 . . . .
. . . .

La douce et noble Vierge :
« Cher fils, tu sais que la femme et l'homme,
36 après qu'ils eurent mordu dans la pomme,
connurent la mort par le péché
dont le Diable est tout entier souillé ;
en enfer ils descendirent tous deux
40 ainsi que tous ceux qui maintenant en sont sortis.
Bon et cher fils, d'eux tu eus pitié
et tu leur montras tant d'amour
que pour eux tu descendis des cieux.
44 Ton incarnation fut œuvre de bonté et de bienveillance :
de ta fille tu as fait ta mère,
telle fut la volonté du Père.
De la crèche on te fit un lit :
48 sans orgueil est celui qui se couche dans une crèche.
Il fallut te porter en Égypte ;
le séjour y fut de courte durée,
car il ne survécut pas longtemps,
52 ton ennemi qui te poursuivait,
le méprisable Hérode, qui fit décapiter
les innocents, les fit tuer
et mettre en pièces,
56 comme nous le rappelle l'Écriture.
Après cela, tu revins dans ton pays ;
les Juifs te firent bon accueil,
car tu leur enseignais dans le Temple
60 quantité de belles paroles et de beaux exemples.
Tout ce que tu leur dis leur plut beaucoup
jusqu'au moment où tu fis
revenir Lazare de la mort à la vie.
64 Alors ils éprouvèrent de la jalousie contre toi,
tu fus exécré et conspué par eux,
tu fus trompé et trahi
par les tiens et livré à eux,
68 alors tu enduras la souffrance et la douleur de l'agonie
et tu fus attaché à un poteau :
il n'est personne qui ne le croie ou ne le sache.
Là tu fus frappé et couvert de plaies,
72 tu fus effrayé par la mort,
il te fallut porter la croix

Ou tu crias a haute voiz
Au Juïs que tu soif avoies.
76 La soif estoit que tu savoies
Tes amis mors et a malaise
En la dolor d'enfer punaise.
L'ame dou cors fu en enfer
80 Et brisa la porte d'enfer.
Tes amis tressis de leans,
Ainc ne remest clerc ne lai anz.
Li cors remest en la croiz mis ;
84 Joseph, qui tant fu tes amis,
A Pilate te demanda :
Li demanders mont l'amanda.

        Lors fus ou sepucre posez ;
88 De ce fu hardiz et osez
Pilate qu'a toi garde mist,
Car de folie s'entremist.
Au tiers jor fus resucitez :
92 Lors fus et cors et deïtez
Ensanble sans corricïon,
Lors montas a l'Ascensïon.

        Au jor de Pentecouste droit,
96 Droit a celle hore et cel androit
Que li apostre erent assis
A la table, chacuns pencis,
Lors envoias tu a la table
100 La toe grace esperitable
Dou saint Esperit enflamee,
Que tant fu joïe et amee.
Lors fu chacuns d'aus si hardiz,
104 Et par paroles et par diz,
C'autant prisa mort comme vie :
N'orent fors de t'amor envie.
Biax chiers filz, por l'umain lignage
108 Jeter de honte et de domage
Feïs tote ceste bonté
Et plus assez que n'ai conté.
S'or laissoies si esgaré
112 Ce que si chier as comparé,
Ci avroit trop grant mesprison,
S'or les lessoies en prison
Entrer, don tu les as osté,
116 Car ci avroit trop mal hosté,

sur laquelle, à haute voix, tu crias
aux Juifs que tu avais soif.
76 Ta soif, c'était que tu savais
tes amis morts et tourmentés
dans la souffrance horrible de l'enfer.
Ton âme, séparée du corps, descendit aux enfers
80 et brisa la porte de l'enfer.
Tu tiras de là tes amis,
il ne resta absolument plus dedans ni clerc ni laïc.
Ton corps restait en croix ;
84 Joseph, qui fut ton ami,
le demanda à Pilate :
cette requête lui valut une belle compensation.

Tu fus déposé dans le sépulcre ;
88 c'est alors que Pilate, rempli de hardiesse et d'audace,
te fit garder ;
c'est par folie qu'il intervint.
Le troisième jour tu ressuscitas :
92 alors ton corps fut uni à la divinité,
incorruptible,
et tu montas au ciel à l'Ascension.

Le jour même de la Pentecôte,
96 juste à l'heure et à l'endroit
où les apôtres étaient assis
à table, tous absorbés dans leurs pensées,
tu leur envoyas, alors qu'ils étaient à table,
100 la grâce spirituelle
du Saint Esprit, sous forme de flammes,
qui fut si goûtée et appréciée.
Alors chacun d'eux devint si hardi
104 dans ses paroles et dans ses propos,
qu'il accordait même valeur à la mort qu'à la vie :
ils n'eurent plus que le désir de t'aimer.
Bon et cher fils, pour délivrer le genre humain
108 de la honte et réparer le dommage qu'il avait subi,
tu manifestas toute cette bonté
et beaucoup plus encore que je n'ai raconté.
Si maintenant tu abandonnais ainsi
112 ce que tu as payé si cher,
ce serait une très grave erreur ;
si maintenant tu les laissais
retourner en prison, d'où tu les as fait sortir,
116 ce serait un bien mauvais logis,

Trop grant duel et trop grant martire,
Biau filz, biau pere, biau doz sire. »

    Ainsi recorde tote jor
120 La doce Dame, sans sejor ;
    Ja ne fine de recorder
    Car bien nous voudroit racorder
    A li, don nos nos descordons
124 De sa corde et de ses cordons.
    Or nous acordons a l'acorde
    La Dame de misericorde
    Et li prions que nos acort
128 Par sa pitié au dine acort
    Son chier Fil, le dine Cor Dé :
    Lors si serons bien racordé.

Explicit de Notre Dame.

la cause d'un profond chagrin et d'une très grande souf-
[france,
cher fils, cher Père, bon et doux Seigneur. »

    Cette prière, toute la journée,
120 la douce Dame la répète sans arrêt ;
elle ne cesse de la répéter
car elle voudrait bien nous réconcilier
avec celui avec qui nous sommes en désaccord :
124 nous avons rompu l'harmonie avec lui.
Maintenant mettons-nous en accord
avec la Dame de miséricorde
et prions-la de nous remettre,
128 par sa pitié, dans la vénérable communion
de son cher Fils, le vénérable Cœur de Dieu :
alors nous serons bien réconciliés.

Fin du dit de Notre-Dame.

2. L'AVE MARIA DE RUTEBEUF

Le poème commence par une invitation à fuir le monde et une mise en garde contre l'avarice et l'amour des plaisirs. Rutebeuf s'en prend tout particulièrement à ceux que la vie facile ou le bien-être exposent aux vices et aux châtiments éternels. Le poète en vient ensuite à la Salutation Angélique proprement dite. C'est vers 1200 que l'archevêque de Paris, Odon de Soliac, demanda aux prêtres d'exhorter les fidèles à apprendre et faire apprendre l'Ave Maria[1]. C'est également au XIIIᵉ siècle que l'habitude se prit de réciter cette prière avant le sermon. Il faut toutefois remarquer que la Salutation Angélique se ramenait alors aux seuls mots latins que nous trouvons dans le poème de Rutebeuf. Ce n'est que beaucoup plus tard, très certainement à la fin du XVᵉ siècle, que la seconde partie de la prière fut ajoutée et que l'Ave Maria reçut la forme que nous lui connaissons à l'heure actuelle. Dès le XIIIᵉ siècle, cette prière connut un immense succès, témoin les nombreuses paraphrases qui datent de cette époque. Rutebeuf ne fut donc pas le seul à se livrer à ce genre d'exercice.

Dans *L'Ave Maria Rustebuef,* on remarque que les mots sacrés de l'Évangile — la première partie de la Salutation Angélique est, en effet, tout entière tirée de saint Luc I, 28 et 42 — sont toujours conservés en latin.

Du vers 37 au vers 72, Rutebeuf rappelle assez longuement la légende de Théophile. Peut-être avait-il déjà rédigé *Le Miracle de Théophile* à l'époque où il composa *L'Ave Maria Rustebuef.* Cette mention du miracle donne évidemment à l'auteur du poème l'occasion de rappeler la bonté de Marie. Faut-il voir aux vers 73-75 une allusion à l'Immaculée Conception de Marie qui, déjà vénérée avec ferveur par le peuple chrétien, continuait à soulever de vives controverses parmi les théologiens, spécialement entre les dominicains et les franciscains ? Viennent ensuite les thèmes habituels de la maternité et de l'intégrité virginale de Marie, de son intervention en faveur des humains. Le poème se termine par un appel à sa miséricorde.

---

1. Mansi, tome XXII, 681, *Odonis Episcopi Parisiensis Synodicae Constitutiones,* caput 8, *Communia praecepta synodalia* nº 10 : « Exhortentur populum semper presbyteri ad dicendam orationem dominicam, et Credo in Deum, et salutationem beatae Virginis. »

L'AVE MARIA RUSTEBUEF

A toutes genz qui ont savoir
Fet Rustebués bien a savoir
3   Et les semont
Cels qui ont les cuers purs et mont
Doivent tuit deguerpir le mont
6   Et debouter,
Quar trop covient a redouter
Les ordures a raconter
9   Que chascuns conte;
C'est veritez que je vous conte.
Chanoine, clerc et roi et conte
12   Sont trop aver;
N'ont cure des ames sauver,
Més les cors baignier et laver
15   Et bien norrir;
Quar il ne cuident pas morir
Ne dedenz la terre porrir,
18   Més si feront,
Que ja garde ne s'i prendront
Que tel morsel engloutiront
21   Qui leur nuira,
Que la lasse d'ame cuira
En enfer, ou ja nel lera
24   Estez n'yvers.
Trop par sont les morsiaus divers
Dont la char menjuent les vers
27   Et en pert l'ame.
Un salu de la douce Dame,
Por ce qu'ele nous gart de blasme,
30   Vueil commencier,

L'AVE MARIA DE RUTEBEUF

A tous ceux qui ont quelque sagesse
Rutebeuf tient à faire savoir
3 et donne ce conseil :
ceux qui ont le cœur pur et sans tache
doivent tous abandonner le monde
6 et s'en aller,
car il faut beaucoup redouter
le récit des actions déshonnêtes
9 que tout le monde raconte ;
c'est la vérité que je vous dis.
Chanoines, clercs, rois et comtes
12 sont très avares ;
ils ne se soucient pas de sauver leurs âmes,
mais de baigner leurs corps, de les laver
15 et de les bien nourrir ;
car ils ne s'imaginent pas qu'ils vont mourir
et dans la terre pourrir ;
18 mais c'est ce qu'ils feront,
car ils ne prendront pas garde
à cette bouchée qu'ils avaleront
21 et qui leur nuira,
si bien que leur pauvre âme brûlera
en enfer, où jamais elle ne cessera de brûler
24 été comme hiver.
Dangereux sont les aliments
qui mènent le corps à la corruption
27 et l'âme à sa perdition.
Je veux commencer
une salutation à la douce Dame,
30 pour qu'elle nous préserve de tout blâme,

Quar en digne lieu et en chier
Doit chascuns metre sanz tencier
33   Cuer et penssee.
Ave, roïne coronee !
Com de bone eure tu fus nee,
36   Qui Dieu portas !
Theophilus reconfortas
Quant sa chartre li raportas,
39   Que l'Anemis,
Qui de mal fere est entremis,
Cuida avoir lacié et mis
42   En sa prison.
Maria, si com nous lison,
Tu li envoias garison
45   De son malage,
Qui deguerpi Dieu et s'ymage
Et si fist au deable hommage
48   Par sa folor ;
Et puis li fist, a sa dolor,
Du vermeil sanc de sa color
51   Tel chartre escrire
Qui devisa tout son martire ;
Et puis aprés li estuet dire
54   Par estavoir :
« Par cest escrit fet a savoir
Theophilus ot por avoir
57   Dieu renoié. »
Tant l'ot deables desvoié
Que il estoit toz marvoié
60   Par desperance ;
Et quant li vint en remembrance
De vous, Dame plesant et franche,
63   Sanz demorer
Devant vous s'en ala orer ;
De cuer commença a plorer
66   Et larmoier ;
Vous l'en rendistes tel loier,
Quant de cuer l'oïstes proier,
69   Que vous alastes,
D'enfer sa chartre raportastes,
De l'Anemi le delivrastes
72   Et de sa route.
Gracia plena estes toute :
Qui ce ne croit il ne voit goute

car en un lieu digne et précieux
chacun doit mettre sans protester
33   son cœur et sa pensée.
JE VOUS SALUE, reine couronnée !
Comme tu es née sous une bonne étoile,
36   toi qui portas Dieu !
Quand tu lui rapportas sa charte
tu réconfortas Théophile
39   que l'Ennemi,
tout occupé à mal agir,
croyait avoir garrotté et fait
42   prisonnier.
MARIE, ainsi que nous le lisons,
tu le sauvas
45   de son mal,
lui qui abandonna Dieu et son image
et au diable fit hommage
48   dans sa folie ;
ensuite, le diable lui fit, à sa grande douleur,
de son sang vermeil
51   écrire cette charte
qui fut la cause de tout son martyre ;
puis, il lui fallut dire
54   sous la contrainte :
« Par cet écrit, Théophile fait savoir
qu'il a, par intérêt,
57   renié Dieu. »
Le diable lui fit à ce point perdre la raison
qu'il était devenu complètement fou
60   de désespoir ;
et quand il se souvint
de vous, gracieuse et noble Dame,
63   sans tarder
devant vous il s'en alla prier ;
du fond du cœur il se mit à se lamenter
66   et à pleurer ;
quand vous l'avez entendu prier sincèrement,
vous l'avez récompensé au point
69   que vous êtes partie
et avez rapporté sa charte de l'enfer ;
vous l'avez arraché à l'Ennemi
72   et à sa troupe.
PLEINE DE GRÂCE vous êtes toute :
qui ne le croit ne comprend rien

75   Et le compere.
Dominus li sauveres Pere
Fist de vous sa fille et sa mere,
78   Tant vous ama ;
Dame des angles vous clama ;
En vous s'enclost, ainz n'entama
81   Vo dignité,
N'en perdistes virginité.
Tecum par sa digne pité
84   Vout toz jors estre
Lasus en la gloire celestre ;
Donez le nous ainsinques estre
87   Lez son costé.
Benedicta tu qui osté
Nous as del dolereus osté
90   Qui tant est ors
Qu'il n'est en cest siecle tresors
Qui nous peüst fere restors
93   De la grant perte
Par quoi Adam fist la deserte.
Prie a ton fil qu'i nous en terde
96   Et nous esleve
De l'ordure qu'aporta Eve
Quant de la pomme osta la seve,
99   Par qoi tes fis,
Si com je sui certains et fis,
Souffri mort et fu crucefis
102   Au vendredi
(C'est veritez que je vous di)
Et au tiers jor, plus n'atendi,
105   Resuscita.
La Magdelene visita,
De toz ses pechiez la cuita
108   Et la fist saine.
De paradis es la fontaine,
In mulieribus et plaine
111   De seignorie.
Fols est qui en toi ne se fie.
Tu hez orgueil et felonie
114   Seur toute chose ;
Tu es li lis ou Diex repose ;
Tu es rosiers qui porte rose
117   Blanche et vermeille ;
Tu as en ton saint chief l'oreille

75   et le paie.
LE SEIGNEUR, le Père Sauveur
fit de vous sa fille et sa mère,
78   tant il vous aima ;
reine des Anges il vous proclama ;
en vous il s'enferma, mais ne porta pas atteinte
81   à votre dignité,
vous n'en perdîtes pas votre virginité.
AVEC TOI par sa bienveillante miséricorde
84   il voulut être toujours
là-haut dans la gloire céleste ;
accordez-nous d'être de même
87   à son côté.
TU ES BÉNIE, toi qui nous as retirés
de ce lieu de souffrance
90   si repoussant
qu'il n'est en ce monde aucun trésor
qui eût pu nous dédommager
93   de la grande perte,
juste salaire de la faute d'Adam.
Demande à ton fils qu'il nous purifie
96   et nous fasse sortir
de la souillure qu'apporta Eve
quand elle goûta au jus de la pomme.
99   Pour cette raison, ton fils,
comme j'en suis sûr et certain,
endura la mort et fut crucifié
102   le Vendredi Saint
(c'est la vérité que je vous dis),
et, le troisième jour, sans plus attendre,
105   ressuscita.
Il rendit visite à Marie-Madeleine,
la délivra de tous ses péchés,
108   et la guérit.
Tu es la source du paradis.
ENTRE LES FEMMES tu es pleine
111   de noblesse.
Fou est celui qui ne met en toi sa confiance.
Tu hais l'orgueil et la perfidie
114   par-dessus toute chose ;
tu es le lis où Dieu repose ;
tu es le rosier qui porte rose
117   blanche et vermeille ;
tu as dans ta sainte tête la pensée

Qui les desconseilliez conseille
120   Et met a voie ;
Tu as de solaz et de joie
Tant que raconter n'en porroie
123   La tierce part.
Fols est cil qui pensse autre part
Et plus est fols qui se depart
126   De vostre acorde,
Quar honesté, misericorde
Et pacience a vous s'acorde
129   Et abandone.
Hé ! benoite soit la corone
De Jhesucrist, qui environe
132   Le vostre chief ;
Et benedictus de rechief
Fructus qui soufri grant meschief
135   Et grant mesaise
Por nous geter de la fornaise
D'enfer, qui tant par est pusnaise,
138   Laide et obscure.
Hé ! douce Virge nete et pure,
Toutes fames por ta figure
141   Doit l'en amer.
Douce te doit l'en bien clamer,
Quar en toi si n'a point d'amer
144   N'autre durté :
Chacié en as tout obscurté.
Par la grace, par la purté
147   *Ventris tui,*
Tuit s'en sont deable fuï ;
N'osent parler, car amuï
150   Sont leur solas.
Quant tu tenis et acolas
Ton chier filz, tu les affolas
153   Et maumeïs.
Si com c'est voirs que tu deïs :
« Hé ! biaus Pere qui me feïs,
156   Je sui t'ancele »,
Toi depri je, Virge pucele,
Prie a ton Fil qu'il nous apele
159   Au jugement,
Quand il fera si aigrement
Tout le monde communement

qui conseille les égarés
120   et les remet sur le chemin ;
tu détiens le bonheur et la joie
à un point tel que je n'en saurais raconter
123   le tiers.
Fou est celui qui pense différemment
et plus fou encore celui qui renonce
126   à l'union avec vous,
car l'honnêteté, la miséricorde
et la patience sont votre apanage
129   à profusion.
Ah ! bénie soit la couronne
de Jésus-Christ, qui ceint
132   votre tête ;
ET BÉNI encore une fois
LE FRUIT qui supporta grands maux
135   et grande tribulation
pour nous arracher à la fournaise
de l'enfer, qui est si puante,
138   horrible et sinistre.
Ah ! douce Vierge, pure et immaculée,
à cause de toi, toute femme
141   doit être aimée.
On doit bien te proclamer douce,
car en toi ne se trouve ni amertume
144   ni autre misère :
tu as chassé toute obscurité.
Par la grâce, par la pureté
147   DE TON VENTRE,
tous les diables se sont enfuis ;
ils n'osent parler, car la joie
150   les a désertés.
Quand tu tenais et embrassais
ton cher fils, tu les blessais
153   et les malmenais.
Comme c'est la vérité que tu as dite :
« Père de bonté qui m'as créée,
156   je suis ta servante »,
toi que j'invoque, ô Vierge,
demande à ton Fils qu'il nous invite à venir
159   le jour du Jugement,
quand devant lui, avec violence,
tout le monde sans exception

162   Trambler com fueille,
Qu'a sa partie nous acueille !
Disons *Amen,* qu'ainsi le vueille !

*Explicit l'*Ave Maria *Rustebuef.*

162   tremblera comme une feuille,
        et qu'il nous reçoive dans sa demeure !
        Disons AMEN, qu'il le veuille ainsi !

                    Fin de L'Ave Maria de Rutebeuf.

3. PRIÈRE DE SAINTE MARIE L'ÉGYPTIENNE

(Marie l'Égyptienne, pécheresse et prostituée, comme elle ne peut entrer dans l'église de Jérusalem pour adorer la Croix, adresse à une image de la Vierge une fervente prière.)

En plorant dist : « Virge pucele,
Qui de Dieu fus mere et ancele,
Qui portas ton fil et ton pere
264 Et tu fus sa fille et sa mere,
Se ta porteüre ne fust
Qui fu mise en la croiz de fust,
En enfer fussons sanz retor :
268 Ci eüst pereilleuse tor.
Dame qui por ton douz salu
Nous a geté de la palu
D'enfer qui est vils et obscure,
272 Virge pucele nete et pure,
Si com la rose ist de l'espine
Issis, glorieuse roïne,
De juërie qu'est poingnanz,
276 Et tu es souef et oingnanz.
Tu es rosë et ton Fils fruis ;
Enfer fu par ton fruit destruis.
Dame, tu amas ton anii,
280 Et j'ai amé mon anemi.
Chastee amas, et je luxure :
Bien sons de diverse nature
Je et tu qui avons un non.
284 Le tien est de si douz renon
Que nus ne l'ot ne s' i deduie ;
Li miens est plus amers que suie.
Nostre Sires ton cors ama ;
288 Bien i pert, que cors et ame a
Mis o soi en son habitacle.
Por toi a fet maint biau miracle ;

Elle dit en pleurant : « Vierge des Vierges,
toi qui de Dieu fus la mère et la servante,
toi qui portas ton fils et ton père,
264 toi qui fus sa fille et sa mère,
sans le fruit de tes entrailles
qui fut cloué sur la croix de bois,
en enfer nous allions sans retour possible :
268 quelle dangereuse prison !
O Dame qui par ton fils, notre salut,
nous as tirés de l'immonde fange
de l'enfer répugnant et sombre,
272 ô Vierge des Vierges, immaculée et pure,
comme la rose sort des épines,
tu sortis, glorieuse Reine,
de l'acrimonieux peuple juif,
276 ô suave et doux parfum !
Tu es la rose et ton fils le fruit,
par qui l'enfer fut détruit.
Dame, tu aimes ton ami,
280 et j'ai aimé mon ennemi.
Tu aimas la chasteté, et moi, la luxure :
nous sommes de deux natures bien différentes,
bien que nous portions le même nom.
284 Le tien est de si douce renommée
que personne ne l'entend sans se réjouir ;
le mien est plus amer que la suie.
Notre Seigneur aima ton corps,
288 c'est bien évident, puisque corps et âme
il s'incarna en toi.
Pour toi, il a accompli beaucoup de grands miracles ;

Por toi honore il toute fame ;
292 Por toi a il sauvé mainte arme ;
Por toi, portiere, et por toi, porte,
Por toi brisa d'enfer la porte ;
Por toi et por t'umilité,
296 Por toi, por ta benignité,
Se fist serjanz qui sires iere ;
Por toi, estoilë et lumiere
A cels qui sont en toz perilz,
300 Daigna li tiens gloriex Filz
A nous fere ceste bonté
Et plus assez que n'ai conté.

Quant ce ot fet, li Rois du monde,
304 Li Rois par qui toz biens habonde
Monta es ciex avoec son Pere.
Dame, or te pri que a moi pere
Ce qu'il a pecheors promist
308 Quant le Saint Espir lor tramist :
Il dist que ja de nul pechié
Dont pechierres fust entechié,
Puis que de ce se repentist
312 Et dolor au cuer en sentist,
Ja ne les recorderoit puis.
Dame, je qui sui mise el puis
D'enfer par ma grant mesprison,
316 Getez moi de ceste prison !
Soviegne vous de ceste lasse
Qui de pechier toute autre passe !
Quant vous lez vostre Fil serez,
320 Que vous toute gent jugerez,
Ne vous soviegne de mes fez
Ne des granz pechiez que j'ai fez ;
Més, si com vous le poez fere,
324 Prenez en cure mon afere,
Que sanz vous sui en fort berele,
Sanz vous ai perdu ma querele,
Si com c'est voirs et je le sai
328 Et par espoir et par essai,
Si aiez vous de moi merci !
Trop ai le cuer pale et noirci
De mes pechiez, dont ne sai nombre,
332 Se ta douceur ne m'en descombre. »

pour toi, il honore chaque femme ;
292 pour toi, il a sauvé mainte âme ;
pour toi, à la fois gardienne et porte du paradis,
pour toi, il brisa les portes de l'enfer ;
pour toi et pour ton humilité,
296 pour toi, pour ta bonté,
lui le Seigneur, il se fit serviteur ;
pour toi, étoile et lumière
de tous ceux qui sont en danger,
300 ton glorieux fils daigna
nous faire cette bonté,
et bien plus que je n'ai dit.

Tout cela accompli, le Roi du monde,
304 le Roi qui donne en abondance tous les biens,
monta aux cieux avec son Père.
Dame, je te prie qu'à moi aussi apparaisse
ce qu'il promit aux pécheurs
308 quand il leur envoya l'Esprit Saint :
il dit que d'aucun péché
dont le pécheur serait souillé,
du moment qu'il s'en repentirait
312 et en ressentirait de la douleur au cœur,
jamais il ne se souviendrait.
Dame, moi qui suis jetée au puits
infernal à cause de mes grands péchés,
316 tirez-moi de cette prison !
Souvenez-vous de cette malheureuse
qui par ses péchés surpasse toute autre !
Quand vous serez à côté de votre Fils
320 et que vous jugerez tous les gens,
ne vous souvenez pas de mes actes
ni des fautes que j'ai commises,
mais, comme vous pouvez le faire,
324 occupez-vous de mon affaire,
car, sans vous, je suis dans un grand embarras,
sans vous, j'ai perdu mon procès,
c'est la stricte vérité, je le sais
328 par espérance et expérience.
Ayez donc pitié de moi !
J'ai le cœur affaibli et endeuillé
de mes péchés, dont je ne sais le nombre,
332 si ta douceur ne m'en délivre. »

BIBLIOGRAPHIE

I. LES MANUSCRITS

— Le manuscrit de la Bibliothèque nationale, ms. fr. 837 (du XIIIe siècle) comporte, aux folios 298 vº-302 vº, le texte complet du *Miracle de Théophile*, que nous reproduisons le plus fidèlement possible, hormis en quelques passages que nous indiquons en bas de page. Nous l'appellerons MANUS-CRIT A.

Ce manuscrit de grande qualité, publié en fac-similé par Henri Omont, *Fabliaux, dits et contes en vers français du XIIIe siècle* (Paris, Leroux, 1932), contient de très nombreux textes : contes et lais, romans, dits, fabliaux, branches du *Roman de Renart (Confession Renart, Compaignie Renart)*, textes ovidiens *(Piramus et Tisbé, Lai de Narcisse)*, recueils de proverbes, prières et *Ave Maria, patrenotres (a l'userier, en françois)*, Abc *(Abc Nostre Dame* de Ferrant, *Abc Plantefolie)*, œuvres d'Huon le Roi *(Regrés Nostre Dame, Male Honte, Vair Palefroi)*, d'Hugues de Berzé *(Bible)*, de Raoul de Houdenc *(Les Ailes de Courtoisie, Le Songe d'Enfer, La Voie de Paradis)*, d'Hélinand *(Les Vers de la Mort)*, d'Henri d'Andeli *(La Bataille des sept Arts)* et de Rutebeuf *(Vie de sainte Elisabeth, poèmes de croisade, poèmes de l'infortune,* fabliaux, etc.)

— Le manuscrit de la Bibliothèque nationale, ms. fr. 1635 (du XIIIe siècle) renferme aux folios 83 rº-84 vº les vers 384-539 du *Miracle de Théophile*. Nous l'appellerons MANUS-CRIT C.

II. LES ÉDITIONS

a) *anciennes* :

A. JUBINAL, *Œuvres complètes de Rutebeuf*, 1839, t. II, p. 79 (nouvelle éd., Paris, 1874, t. II, p. 231).

L. J. N. MONMERQUE et Fr. MICHEL, *Théâtre français au Moyen Age*, Paris, 1839, p. 136.

A. H. KLINT, *Le Miracle de Théophile de Rutebeuf*, Upsal, 1869.

A. KRESSNER, *Rustebuefs Gedichte*, Wolfenbüttel, 1885, p. 206.

b) *modernes et scientifiques* :

Gr. FRANK, *Rutebeuf, Le Miracle de Théophile*, Paris, Champion, 1925, 2e éd., 1949 (*Classiques français du Moyen Age*, 49).

E. FARAL et J. BASTIN, *Œuvres complètes de Rutebeuf*, Paris, Picard, 2 vol., 1959-1960 (t. II, pp. 167-203).

c) *partielles* :

K. BARTSCH, *Chrestomathie*, 12e éd., 1927, vers 540-663.

A. HENRY, *Chrestomathie de la littérature en ancien français*, 1re éd., Berne, Francke, 1953, vers 384-601.

III. TRADUCTIONS, ADAPTATIONS ET TRANSPOSITIONS

Fr. MICHEL, *éd. citée*.

R. DE GOURMONT, *Trois Légendes du Moyen Age*, Paris, Société des Trente-A. Messein, 1919, pp. 87-122 [1].

R. GUIETTE, *Le Miracle de Théophile de Rutebeuf*, juillet 1932 (exemplaires multigraphiés [2]).

A. JEANROY, *Rutebeuf, Le Miracle de Théophile... avec des notes explicatives*, Paris, Didier, 1932.

G. COHEN, *Rutebeuf, Le Miracle de Théophile*, Paris, Delagrave, 1934 [3].

R. DUBUIS, *Rutebeuf, Le Miracle de Théophile*, Paris, Champion, 1978 [4] (*Traductions des Classiques français du Moyen Age*, 26).

1. Remy de Gourmont signale (p. 86, note 1) une adaptation du miracle donnée en 1898, à Boston, par Henry Copley Greene.

2. Cette traduction a été utilisée pour la représentation du *Miracle de Théophile* à Bruxelles, en 1933, par le Théâtre Rataillon d'Albert Lepage.

3. Joué en mai 1933 par les étudiants de Sorbonne.

4. Joué à Lyon le 25 octobre 1974, dans une mise en scène de Jean Meyer, avec une entrée et une sortie musicales de Gilles Laprévôté.

IV. ÉTUDES SUR LE MIRACLE DE THÉOPHILE

G. COHEN, *Le Miracle de Théophile*, Paris, C.D.U., 1933, 5 fasc.

M. de COMBARIEU, « Le Diable dans le *Comment Theophilus vint a penitance* de Gautier de Coinci et dans *Le Miracle de Théophile* de Rutebeuf », dans *Le Diable au Moyen Age*, *Senefiance*, t. 6, 1979, pp. 155-182.

G. DAHAN, « Salatin du Miracle de Théophile », dans *Le Moyen Age*, t. 83, 1977, pp. 445-468.

E. DUBRUCK, « The Devil and Hell in Medieval French Drama », dans *Romania*, t. 100, 1979, pp. 165-179.

J. DUFOURNET et Fr. LASCOMBES, « Rutebeuf et *Le Miracle de Théophile* », dans *Mélanges Alice Planche*, Nice, 1984 (*Annales de la Faculté des Lettres et Sciences humaines de Nice*, t. 48, pp. 185-197).

E. FARAL, « Quelques remarques sur *Le Miracle de Théophile* de Rutebeuf », dans *Romania*, t. 72, 1951, pp. 182-201.

Gr. FRANK, « Rutebeuf and Theophile », dans *Romanic Review*, t. 43, 1952, pp. 161-165.

St. GOMPERTZ, « Du dialogue perdu au dialogue retrouvé. Salvation et détour dans *Le Miracle de Théophile* de Rutebeuf », dans *Romania*, t. 100, 1979, pp. 519-528.

M. LAZAR, « Theophilus : servant of two Masters. The Prefaustian Theme of Despair and Revolt », dans *Modern Language Notes*, t. 87, 1972, pp. 30-36.

H. J. LOPE, « Remarques sur l'interprétation de la Repentance Théophile de Rutebeuf (*Miracle de Théophile*, vers 384-431) », dans *Marche Romane*, t. 19, 1969.

E. J. MICKEL, « Free Will and Antithesis in the *Miracle de Theophile* », dans *Zeitschrift für romanische Philologie*, 1983, pp. 304-316.

M. PLENZAT, *Die Theophiluslegende in den Dichtungen des Mittelalters*, Berlin, 1926 (*Germanische Studien*, 43).

V. QUELQUES ÉTUDES GÉNÉRALES SUR RUTEBEUF

L. CLÉDAT, *Rutebeuf*, Paris, Hachette, 1891, 4e éd., 1934 (*Les Grands Écrivains français*).

M. M. DUFEIL, *Guillaume de Saint-Amour et la polémique universitaire parisienne, 1250-1259*, Paris, Picard, 1962.

J. DUFOURNET, *L'Univers poétique et moral de Rutebeuf*, en

collaboration avec Fr. de la Bretèque, dans *Poètes du XIIIe siècle, Revue des Langues romanes*, t. 88, 1984, pp. 39-78 ; *Rutebeuf et la Vierge*, dans *Bien dire et bien apprendre*, Lille, octobre 1987.

G. LAFEUILLE, *Rutebeuf*, Paris, Seghers, 1966.

N. FREEMAN REGALADO, *Poetic Patterns in Rutebeuf : a Study in Noncourtly Poetic Modes at the Thirteenth Century*, Newhaven-Londres, Yale University Press, 1970.

A. SERPER, *Rutebeuf poète satirique*, Paris, Klincksieck, 1969.

Pour des compléments bibliographiques, voir notre édition de *Rutebeuf, Poèmes de l'infortune et autres poèmes*, Paris, Gallimard, 1986 (*Poésie*), pp. 289-291.

CHRONOLOGIE

Il est très difficile, sinon impossible, d'établir la chronologie des œuvres de Rutebeuf. En voici une, qui n'est que vraisemblable et que nous devons tant à Michel-Marie Dufeil, auteur d'un beau livre sur *Guillaume de Saint-Amour et la polémique universitaire parisienne (1250-1259)*, qu'à Edmond Faral et Julia Bastin, les savants éditeurs des *Œuvres complètes* de Rutebeuf (voir bibliographie).

1249. Dans *Le Dit des cordeliers*, Rutebeuf défend les franciscains de Troyes contre le clergé séculier qui s'oppose au transfert de leur couvent vers le centre de la ville.

Hiver 1254-1255. Rutebeuf, qui a changé de camp, attaque maintenant les frères mendiants dans *La Discorde de l'université et des jacobins*, à propos de la seconde chaire universitaire que veulent obtenir les dominicains ; il met en vers le manifeste que les maîtres parisiens avaient publié le 4 février 1254.

1257. Après l'échec de Guillaume de Saint-Amour, la violence verbale se déchaîne contre les frères mendiants : Rutebeuf, qui traduit en français les œuvres latines de son maître, écrit *Le Pharisien* (mars) et *Le Dit de Guillaume de Saint-Amour* (octobre), composé sous le choc des premières nouvelles du bannissement de Guillaume, parvenues à Paris à la fin d'août. Ce dernier est bientôt isolé : « Seule, la grande et sympathique voix de Rutebeuf, dans la nuit, en berce la désolation » (M.-M. Dufeil).

Printemps 1258. Dans le désarroi et le silence de l'université, Rutebeuf, par *La Complainte de Guillaume de*

Saint-Amour, dénonce les monstres apocalyptiques et les faux prophètes.

1259. Même si Guillaume de Saint-Amour est peu à peu oublié, Rutebeuf s'entête et écrit *Les Règles des moines,* où il compare les frères mendiants à Renart, *Le Dit de sainte Église* et *La Bataille des vices contre les vertus.*

1260. Dans *Les Ordres de Paris,* il dénonce l'encerclement de Paris par de nombreux couvents.

Fin 1261. Il stigmatise, dans *Les Métamorphoses de Renart,* le roi Saint Louis et son entourage de frères mendiants ; il célèbre l'élection du pape Urbain IV, tout en critiquant la cour de Rome, dans *Le Dit d'Hypocrisie.*

1262. Rutebeuf, qui avait déjà composé *La Complainte de monseigneur Geoffroi de Sergines* (1255-1256), revient à la chanson de croisade dans *La Complainte de Constantinople,* mais il continue à attaquer les frères mendiants dans ce poème, comme dans le fabliau de *Frère Denise* et dans *La Chanson des ordres.*

Entre 1262 et 1265. Guillaume de Saint-Amour demeure exilé, Rutebeuf est victime de l'ostracisme du roi, des grands et de l'Église : il écrit la plupart des *Poèmes de l'infortune,* se réfugie dans la dévotion courtoise (poèmes à Notre-Dame, *La Vie de sainte Marie l'Égyptienne, Le Sacristain et la femme au chevalier, La Voie de paradis*), il fait peut-être le bilan de sa vie dans *Le Miracle de Théophile.*

Après 1265. Il écrit *La Pauvreté de Rutebeuf* et *Le Repentir de Rutebeuf,* mais surtout des chansons de croisade : *La Chanson de Pouille* (1265), *La Complainte d'outremer* (1266), *La Complainte du comte Eudes de Nevers* (fin 1266), *La Croisade de Tunis* (seconde moitié de 1267), *Le Débat du croisé et du décroisé* (1268-1269), *La Complainte du roi de Navarre* et *La Complainte du comte de Poitiers* (1271), la *Nouvelle Complainte d'outremer* (1277).

TABLE

ARISTOTE
Petits Traités d'histoire naturelle (979)
Physique (887)

AVERROÈS
L'Intelligence et la pensée (974)
L'Islam et la raison (1132)

BERKELEY
Trois Dialogues entre Hylas et Philonous (990)

CHÉNIER (Marie-Joseph)
Théâtre (1128)

COMMYNES
Mémoires sur Charles VIII et l'Italie, livres VII et VIII (bilingue) (1093)

DÉMOSTHÈNE
Philippiques, suivi de **ESCHINE**, Contre Ctésiphon (1061)

DESCARTES
Discours de la méthode (1091)

DIDEROT
Le Rêve de d'Alembert (1134)

DUJARDIN
Les lauriers sont coupés (1092)

ESCHYLE
L'Orestie (1125)

GOLDONI
Le Café. Les Amoureux (bilingue) (1109)

HEGEL
Principes de la philosophie du droit (664)

HÉRACLITE
Fragments (1097)

HIPPOCRATE
L'Art de la médecine (838)

HOFMANNSTHAL
Électre. Le Chevalier à la rose. Ariane à Naxos (bilingue) (868)

HUME
Essais esthétiques (1096)

IDRÎSÎ
La Première Géographie de l'Occident (1069)

JAMES
Daisy Miller (bilingue) (1146)
Les Papiers d'Aspern (bilingue) (1159)

KANT
Critique de la faculté de juger (1088)
Critique de la raison pure (1142)

LEIBNIZ
Discours de métaphysique (1028)

LONG & SEDLEY
Les Philosophes hellénistiques (641 à 643), 3 vol. sous coffret (1147)

LORRIS
Le Roman de la Rose (bilingue) (1003)

MEYRINK
Le Golem (1098)

NIETZSCHE
Par-delà bien et mal (1057)

L'ORIENT AU TEMPS DES CROISADES (1121)

PLATON
Alcibiade (988)
Apologie de Socrate. Criton (848)
Le Banquet (987)
Philèbe (705)
Politique (1156)
La République (653)

PLINE LE JEUNE
Lettres, livres I à X (1129)

PLOTIN
Traités I à VI (1155)
Traités VII à XXI (1164)

POUCHKINE
Boris Godounov. Théâtre complet (1055)

RAZI
La Médecine spirituelle (1136)

RIVAS
Don Alvaro ou la Force du destin (bilingue) (1130)

RODENBACH
Bruges-la-Morte (1011)

ROUSSEAU
Les Confessions (1019 et 1020)
Dialogues. Le Lévite d'Éphraïm (1021)
Du contrat social (1058)

SAND
Histoire de ma vie (1139 et 1140)

SENANCOUR
Oberman (1137)

SÉNÈQUE
De la providence (1089)

MME DE STAËL
Delphine (1099 et 1100)

THOMAS D'AQUIN
Somme contre les Gentils (1045 à 1048), 4 vol. sous coffret (1049)

TRAKL
Poèmes I et II (bilingue) (1104 et 1105)

WILDE
Le Portrait de Mr. W.H. (1007)

Imprimé en France par CPI
en octobre 2019

Dépôt légal : janvier 1987
N° d'édition : L.01EHPNFG0467.A008
N° d'impression : 155526